A fé que move montanhas

A fé que move montanhas

Princípios para orar com poder

LINDA EVANS SHEPHERD

Traduzido por Cecília Eller

MUNDO CRISTÃO

Copyright © 2019 Linda Evans Shepherd. Todos os direitos reservados.
Publicado originalmente por Revell, divisão de Baker Publishing Group, Grand Rapids, Michigan, EUA.

Os textos bíblicos foram extraídos da *Nova Versão Transformadora* (NVT), da Tyndale House Foundation, salvo indicação específica.

Todos os direitos reservados e protegidos pela Lei 9.610, de 19/02/1998.

É expressamente proibida a reprodução total ou parcial deste livro, por quaisquer meios (eletrônicos, mecânicos, fotográficos, gravação e outros), sem prévia autorização, por escrito, da editora.

CIP-Brasil. Catalogação na publicação
Sindicato Nacional dos Editores de Livros, RJ

S553f

Shepherd, Linda Evans
A fé que move montanhas: princípios para orar com poder / Linda Evans Shepherd; tradução Cecília Eller. - 1. ed. - São Paulo : Mundo Cristão, 2024.
224 p.

Tradução de: When do you need to move mountain
ISBN 978-65-5988-293-9

1. Orações. 2. Intercessão (Oração) - Cristianismo. I. Eller, Cecília. II. Título.

23-87148 CDD: 248.32
CDU: 27-534.3

Meri Gleice Rodrigues de Souza - Bibliotecária - CRB- 7/6439

Categoria: Inspiração
1ª edição: maio de 2024

Edição
Daniel Faria
Revisão
Ana Luiza Ferreira
Produção e diagramação
Felipe Marques
Colaboração
Gabrielli Casseta
Raquel Carvalho Pudo
Raquel Xavier
Capa
Rafael Brum

Publicado no Brasil com todos os direitos reservados por:

Editora Mundo Cristão
Rua Antônio Carlos Tacconi, 69
São Paulo, SP, Brasil
CEP 04810-020
Telefone: (11) 2127-4147
www.mundocristao.com.br

Dedico este livro à minha extraordinária
equipe de intercessoras!

Sou grata pelas orações feitas por mim, por este livro
e pelas pessoas que o vierem a ler.

Todas vocês me carregaram nas asas de suas preces.
Por isso, aprecio e valorizo cada uma!

Sumário

Introdução

> Estamos certos de que ele nos ouve sempre que lhe pedimos algo conforme sua vontade. E, uma vez que sabemos que ele ouve nossos pedidos, também sabemos que ele nos dará o que pedimos.
>
> 1João 5.14-15

Sou uma espécie de pesquisadora da oração.

Precisei ser, porque eu tinha uma montanha para mover.

Após um grave acidente automobilístico que colocou minha bebê de um ano e meio em coma, eu precisava saber o que seria necessário para tocar minha filha pelo poder da oração.

Desde aquele fatídico dia, assumi que entender a oração seria a minha missão. Passei horas explorando a Palavra a fim de descobrir e entender os segredos de oração que ela contém e, o mais importante, eu orei. Batalhei. Contendi. Busquei a Deus. Reivindiquei promessas e orei em meio a grandes bloqueios na estrada. Já experimentei superação e já senti a dor no coração de quando Deus diz não. Já orei com grupos e companheiros de oração, já batalhei contra o inimigo e orei com inúmeras pessoas. E, sim, tenho visto Deus agir. Tenho visto Deus dar resposta a orações.

Ao compartilhar aquilo que aprendi, eu lhe mostrarei como você pode se tornar não só uma pessoa de oração, mas também alguém capaz de usar a oração para reverter a obra do inimigo, salvar vidas, ser abençoada com provisão e fluir rumo ao melhor de Deus para sua vida. Se fizer essa jornada comigo, será encorajada pelas histórias e verdades surpreendentes escondidas na Palavra de Deus — e você irá orar. Juntas, usaremos a oração para mover as montanhas que bloqueiam destinos, saúde, provisão, bem como a salvação e o bem-estar de nossos amados.

Você está dentro?

Espero que sim, pois, por meio das páginas deste livro, você descobrirá que também é capaz de mover montanhas. Você se unirá ao grupo de oração que move montanhas, formado por pessoas que orarão por você e seus queridos enquanto você também ora por eles. Você identificará seus dons específicos de oração e descobrirá que tudo é possível por meio de Cristo, sobretudo quando você ora. Oremos agora.

Querido Senhor,

Estou dentro! Quero realizar todo o possível a fim de fazer a diferença na vida de meus amados, deste mundo perdido e de teu reino. Quero me colocar na brecha contigo para um tempo como este. Ajuda-me a aprender os segredos mais profundos da oração intercessora. Abre meu coração e os olhos de minha fé para que eu veja tudo aquilo que desejas me mostrar.

Em nome de Jesus, amém.

1
Os segredos da oração intercessora

Dediquem-se à oração com a mente alerta e o
coração agradecido.
COLOSSENSES 4.2

Imagine o seguinte: tropas inimigas estão planejando marchar por sua rua, procurando casas para atacar. Embora um muro protetor de tijolos cerque sua residência, você se preocupa: *Será que conseguirá resistir ao ataque?*

Depende. O que exatamente mantém seu muro unido? Se você não usou um elemento para grudar os tijolos, como uma argamassa forte, eles podem facilmente desabar. O inimigo será capaz de criar uma brecha no muro com um simples empurrão.

Digamos, porém, que você é um construtor sábio. Você colocou argamassa bem misturada entre cada tijolo e cada buraquinho, a fim de criar uma fortaleza sólida que seu inimigo é incapaz de derrubar. Você foi cuidadoso porque sabia que, se o inimigo chegasse até sua casa, procuraria pontos fracos ou brechas no muro. Caso encontrasse algum defeito dessa natureza, ele o usaria para avançar e se apressaria em roubar, matar e destruir.

A oração intercessora é como a argamassa em um muro protetor de tijolos. A oração liga as promessas de Deus em uma fortaleza de proteção. A oração não só preenche cada brecha a fim de mantermos o inimigo do lado de fora, como também tranca as passagens secretas que o inimigo havia planejado usar no ataque. A verdadeira beleza da oração intercessora é que, quando oramos, estamos nos unindo a Jesus. Nós nos levantamos com ele à medida que ele se põe na brecha intercedendo por nós, nossa família, nossos amados, nossas preocupações e nosso mundo.

De acordo com o site vocabulary.com, "O verbo *interceder* provém das palavras em latim *inter*, que significa 'entre', e *cedere*, que quer dizer 'ir'". E mais: "Agir como alguém que 'vai entre' é exatamente o que você faz ao interceder. [...] Às vezes, as pessoas oram pedindo a Deus que interceda em sua vida, ou seja, que opere uma mudança que melhore a situação".[1]

Essa é uma excelente definição do termo, mas não explica cada mistério da oração. Parte desse mistério é que intercedemos junto a um Deus que não podemos controlar. Ficamos confusos quando não recebemos exatamente o que pedimos, toda vez que oramos. Lamentamos: "Se Deus realmente me amasse, faria *tudo* que eu pedi".

Quando entramos nessa linha de raciocínio, nós nos esquecemos de uma coisa: Deus é nosso Criador, não nossa marionete. Podemos ter sido criados a sua imagem, mas não somos uma réplica exata de *tudo* que ele é. Pois quem dentre nós tem a habilidade de criar algo tão pequeno como uma abelha, quanto mais um animal tão imenso quanto uma baleia azul de 160 toneladas? E, no entanto, como é maravilhoso perceber que, embora não tenhamos controle sobre Deus, o Deus do universo *surpreendentemente* ouve nossas orações e age. Não é de se espantar que ele seja digno de receber nosso louvor!

Max Lucado afirmou: "Talvez você não entenda o mistério da oração. Não é preciso. Mas algo fica bem claro: o céu começa a agir quando alguém ora na terra".[2] Creio que o agir do céu equivale a milagres na terra, como na ocasião em que minha amiga Kari orou por uma panela de espaguete borbulhando na cozinha da escola. Ela esperava que somente trinta pais e mães aparecessem a um jantar beneficente que visava angariar recursos para a escola. Por isso, foi até o supermercado e comprou somente o tanto exato de ingredientes. Sua pequena escola cristã, afinal, contava com apenas quinze alunos. Por isso, não havia necessidade de exagerar nas compras para o evento, não se realmente quisesse levantar o dinheiro tão necessário para a instituição. Como se surpreendeu ao ver gente que não acabava mais chegando para jantar com a família faminta! Cada vez que um novo grupo preenchia as mesas, Kari corria para a cozinha e orava diante da panela de espaguete ainda fumegando. O mais interessante é que, mesmo depois de alimentar 115 pessoas naquela noite, ainda restou o suficiente para enviar sobras às famílias e para alimentar os quinze estudantes no dia letivo seguinte. Como é que seus ingredientes contados saciaram tantos?

Por causa da oração — de uma oração atendida, para falar claramente.[3]

Parceiros de Deus em oração intercessora

Você está lendo este livro por causa de seu amor pelos outros ou porque necessita do mover de Deus em sua própria vida. É por isso que tem explorado seu chamado à oração intercessora. Você já sabe que seu chamado está alguns passos além de simplesmente agradecer pelo alimento na hora da refeição ou recitar a popular prece "Ajuda-me, Senhor!". Você tem consciência de que suas orações podem fazer a diferença e deseja descobrir como usar a oração para mover as montanhas que estão em seu caminho ou no caminho da saúde, do bem-estar mental, da provisão, salvação ou superação de uma pessoa amada. Quer descobrir como manter o inimigo longe de sua vida, bem como da vida daqueles a quem você ama.

Também deseja identificar seus dons de oração e explorar como você foi mais ungida para orar. No entanto, mesmo que já saiba quais são seus dons de guerreira de oração, sempre tenha em mente a seguinte regra: embora você não possa controlar Deus por meio da oração, sempre é possível se tornar parceiro dele em oração. A autora Sheri Schofield explicou: "Oração intercessora é entregar pessoas e situações a Deus, em busca de auxílio, e caminhar ao lado desses indivíduos na presença do Senhor".[4]

É exatamente isso. A intercessão empurra o inimigo para fora e convida a presença divina para dentro. É a confiança de que Deus transformará problemas em bênçãos.

Isso me lembra da ocasião em que um grupo de amigos foi até Jesus com um pedido em favor de um amigo. A história começa com uma tragédia inexplicável. Talvez o amigo tenha caído de uma árvore, tropeçado no cachorro ou, quem sabe, sido atropelado por uma carruagem romana. Não conhecemos os detalhes, mas sabemos que foi exatamente a paralisia resultante do acidente que o levou ao Salvador.

Todos na Galileia já haviam ouvido falar de Jesus. Ele era o jovem rabino que tinha alimentado milhares com apenas alguns pães e peixes. É possível que aqueles amigos até conhecessem pessoas que Jesus havia curado. Deve ser por isso que tinham tanta certeza de que, se levassem o amigo a Cristo, ele também seria curado.

Quando ficaram sabendo que Jesus estava ensinando em uma casa na cidade de Cafarnaum, carregaram o amigo para vê-lo. Que decepção sentiram quando perceberam que a casa estava absolutamente lotada. Não havia como entrar! Não tinha jeito de chegar até Jesus — bem, talvez houvesse uma forma.

Aqueles quatro amigos subiram ao teto da casa e cavaram um buraco em meio ao barro endurecido misturado a galhos e gravetos. Dá para imaginar como foi isso para as cinquentas pessoas que estavam aglomeradas ali dentro? De repente, ficaram sujas de pelotas de barro e, enquanto observavam, um buraco se abriu no teto e a luz do sol incidiu em Jesus.

Consigo enxergar aqueles quatro amigos abaixando o amigo paralisado até onde estava Jesus. Foi preciso muita coragem para agir assim! Mas eles estavam determinados a fazer sua parte porque tinham fé. Sabiam que Jesus era capaz de mudar a vida de seu amigo.

Jesus ficou irritado com aquele gesto de ousadia? Nem um pouco! Jesus ficou tão impressionado com a fé demonstrada por aqueles homens que disse ao paralítico: "Seus pecados estão perdoados" (Mc 2.5).

Consegue ouvir as pessoas ao redor limpando a garganta? Enxerga os olhos se revolvendo? Percebe a multidão olhando de lado, com aquele olhar que coletivamente julgou Jesus? "Perdoar pecados? Quem esse rabino pensa que é?" Assim relata Marcos 2.8-11: "Jesus logo percebeu o que eles estavam pensando e perguntou: 'Por que vocês questionam essas coisas em seu coração? O que é mais fácil dizer ao paralítico: 'Seus pecados estão perdoados' ou 'Levante-se, pegue sua maca e ande'? Mas eu lhes mostrarei que o Filho do Homem tem autoridade na terra para perdoar pecados'. Então disse ao paralítico: 'Levante-se, pegue sua maca e vá para casa'".

A multidão ficou boquiaberta à medida que o homem se punha de pé. Todos conheciam a história daquele sujeito e reconheciam que Jesus o havia curado.

O que isso quer dizer para nós? Significa que precisamos reconhecer quem é Jesus e o que ele pode fazer. Para começo de conversa, Jesus é o Filho de Deus, nosso intercessor diante do trono, conforme explica Romanos 8.34: "Quem nos condenará, então? Ninguém, pois Cristo Jesus morreu e ressuscitou e está sentado no lugar de honra, à direita de Deus, intercedendo por nós".

Jesus ora por nós porque nos ama e quer que tenhamos vida, e vida plena. Deseja nos ver curados e plenos. Saber quem é Jesus nos dá a coragem e a fé necessárias para fazer o esforço extra de superar qualquer obstáculo que ouse nos bloquear de nosso Salvador. Que maravilhoso poder usar a oração para depositar nossas preocupações e a de nossos queridos aos pés de nosso Mestre!

Você sabe aquilo que os amigos do paralítico sabiam. Basta um só toque ou uma única palavra de Jesus para mudar vidas, corações e situações.

Esteja pronta para fazer parte do milagre

O texto de Josué 1.9 nos lembra da presença contínua de Deus: "Esta é minha ordem: Seja forte e corajoso! Não tenha medo nem desanime, pois o SENHOR, seu Deus, estará com você por onde você andar". Deus está sempre conosco, pronto a todo instante para ouvir nossas orações. O apóstolo João explicou esse fato da seguinte maneira: "Estamos certos de que ele nos ouve sempre que lhe pedimos algo conforme sua vontade" (1Jo 5.14).

Deus não só nos ouve, como também responde a orações. Não posso lhe garantir exatamente como ele responderá, uma vez que a resposta perfeita para sua oração pode não vir da maneira como você imagina. Isso acontece porque a perspectiva divina costuma ser diferente da nossa. As respostas dele refletem a melhor solução que ele tem, quer entendamos suas respostas, quer não.

Aprender a confiar em Deus é um segredo fundamental da oração intercessora, mas, quando o fazemos, podemos ser parte de um milagre.

Foi justamente o que aconteceu com JoAnne quando ela passou a interceder intensamente por uma mulher chamada Deb, que tinha uma doença letal. JoAnne conta: "Eu não era íntima de Deb, mas Deus me mandou orar por ela. Por isso, ao longo das duas horas seguintes daquela noite de terça, orei pedindo cura de todos os ângulos que consegui imaginar. Por fim, clamei: 'Senhor, se Deb estiver doente porque pecou contra alguém, eu me aproximo de ti em nome dessa pessoa contra quem ela pecou e a perdoo!'".

JoAnne parou um pouco para se perguntar se ela podia perdoar alguém em nome de outra pessoa, mas, depois de dizer essas palavras finais, de alguma forma sentiu paz e soube que Deus finalmente estava permitindo que ela parasse de orar por Deb.

No domingo seguinte, Deb se levantou na igreja e disse que a noite de terça foi a última que havia passado no hospital. Os médicos chegaram a dizer que ela não sobreviveria até a manhã seguinte. Mas, de repente, o Senhor a curou! Estava completamente sarada.

JoAnne contou a Deb como havia orado por ela. Deb ficou atordoada e disse: "Agora eu sei por que tive aquela doença!".

Também contou ao pastor sobre a oração. Ele franziu a testa. "Deb vinha liderando um grupo de mulheres que fazia fofocas a seu respeito, JoAnne! Talvez você não tenha ouvido falar, mas Deb contou a todos da igreja que você tem um amante."

JoAnne ficou tão perplexa com a mentira de Deb quanto com sua cura. Também ficou pasma ao constatar que Deus a havia conduzido a perdoar a amiga pessoalmente antes mesmo de saber que o pecado de Deb era contra ela. Foi extraordinário perceber que, depois de perdoar Deb, o Senhor a curou.[5]

Acontece que a oração de JoAnne, guiada por Deus e dirigida pelo Espírito para perdoar Deb, dizia respeito a ninguém menos do que ela própria. Era exatamente JoAnne que precisava perdoar Deb. O perdão de JoAnne foi de fato a chave para o milagre de Deb.

Corrie ten Boom, sobrevivente de um campo de concentração nazista, disse: "Nunca sabemos como Deus responderá a nossas orações, mas podemos esperar que ele nos envolva em seu plano de resposta. Se somos verdadeiros intercessores, precisamos estar prontos para participar da obra divina em favor das pessoas pelas quais oramos".[6]

Os autores do livro *Trip Around the Sun* [Viagem em volta do sol] afirmaram:

> Você é o milagre de alguém. O plano de Corrie ten Boom era ser aprendiz no trabalho do pai. Ela queria ser relojoeira. Mas o plano de Deus para Corrie ten Boom era que ela fosse aprendiz da obra do Pai celeste. Queria que ela mudasse a história.

De prisioneira de guerra em um campo de extermínio alemão, tornou-se fonte de perdão e esperança em um país arrasado pela guerra. Depois de passar os primeiros 48 anos de sua vida no mesmo quarto, na casa do pai, ela viajou pelo mundo, espalhando sua mensagem de vida e luz a milhões de pessoas.[7]

Quando você escolhe interceder, assim como Corrie ten Boom, talvez não saiba como Deus responderá ou qual será o impacto exato de sua oração, mas você talvez acabe fazendo parte de um milagre.

Como vencer barreiras de oração

Talvez, assim como muitas pessoas, você tenha algumas preocupações quanto a se dedicar "de corpo e alma" à oração. Eu entendo. O inimigo faz hora extra para nos impedir de entender o seguinte:

- Nossas orações de fato movem montanhas.
- Deus quer que oremos.
- Deus nos chama para orar.

Nossas orações de fato movem montanhas

Você já se sentiu culpada por ter prometido orar, mas depois se esqueceu de fazê-lo? Eu também! Mas e se acreditássemos que nossas orações podem causar impacto real? Crer que orar muda as coisas nos ajuda a nos lembrar de ficar de joelhos.

E se eu lhe dissesse para levantar da cadeira e empurrar a pessoa a seu lado? Você provavelmente reviraria os olhos e me ignoraria, não é mesmo? Contudo, se você acreditasse que esse ato poderia salvar uma vida, você se sentiria inclinada a fazê-lo. Digamos, por exemplo, que seu filho estivesse na rota de um tiro e você tivesse a chance de salvá-lo com um simples empurrão. Creio que você não hesitaria em partir para a ação nesse caso!

Infelizmente, a descrença costuma ser o motivo que leva muitas pessoas a não orar. Murmuram consigo: "Provavelmente não vai mudar nada... Além disso, estou confortável desse jeito e, para ser franco, Deus já conhece todas as necessidades das pessoas. Quem sou eu para interferir nos planos dele?".

Como, porém, nossa mentalidade mudaria se entendêssemos que nossa oração pode salvar uma vida, levar uma alma à salvação, curar um casamento ou tirar alguém de um estilo de vida caracterizado por drogas e destruição? Talvez a solução seja praticar *mais* oração para experimentar *mais* resultados a fim de ver que nossas orações *de fato* movem montanhas. Preciso perguntar: Em meio a tanto tumulto ao nosso redor, o que tem nos impedido de mergulhar em oração imediatamente? Vamos começar orando agora mesmo.

Querido Senhor,

Peço que me mostres por quem desejas que eu ore. Por favor, abre meus olhos para a diferença que minhas orações podem fazer e as montanhas que elas podem mover. Convido-te, Senhor, para entrar nos detalhes de minha vida, bem como da vida de meus amigos e familiares. Empurra para fora o inimigo. Faze tua luz brilhar e as mentiras evaporarem. Move montanhas. Traze esperança e redenção. Muda as coisas para o bem e para teus propósitos. Usa minhas orações para fazer a diferença.

Em nome de Jesus, amém.

Deus quer que oremos

Como é extraordinário o Deus do universo querer que oremos! Isso é novidade para muitas pessoas que acham que a oração, de algum modo, incomoda Deus, desperdiçando seu tempo valioso. Já me disseram: "Ah, não quero dar trabalho a Deus com minhas necessidades. Há tantas pessoas com problemas bem piores que os meus! Consigo resolver minhas pequenas preocupações sozinha".

Não desperdice a oportunidade! Deus é onipresente, ou seja, está sempre presente. Ele está no hoje, no ontem e no amanhã. Está até fora do tempo. Assim, quando conversamos com ele em oração, não estamos "competindo por atenção" com outros intercessores. Ao orar, não estamos tirando ninguém de seu lugar na fila. Deus sempre ouve a todos o tempo inteiro.

O Senhor está muito interessado nos detalhes de nossa vida e na vida das pessoas a quem amamos. Está tão interessado que deseja ser incluído em todos os detalhes, até mesmo nos menores. Ele é um Deus zeloso (Êx 34.14), ou seja, nos ama e quer ser o centro de nossa vida. É por isso que deseja que levemos a ele todas as nossas preocupações, por nós mesmos e por nossos amados.

No Antigo Testamento, lemos sobre um sacerdote e profeta chamado Ezequiel, que foi enviado ao povo exilado de Deus. Aquelas pessoas estavam passando por profundo sofrimento, em consequência de seus pecados. Deus disse algo surpreendente a Ezequiel que comprova seu desejo de que oremos.

O Senhor disse: "Procurei alguém que reconstruísse o muro que guarda a terra, que se pusesse na brecha para que eu não a destruísse, mas não encontrei ninguém" (Ez 22.30). É de partir o coração! Não havia ninguém para orar pelo povo de Deus e, por essa razão, muitas pessoas sofreram e até morreram.

Em 2Crônicas também há o registro de uma mensagem semelhante da parte de Deus: "Se meu povo, que se chama pelo meu nome, humilhar-se e orar, buscar minha presença e afastar-se de seus maus caminhos, eu os ouvirei dos céus, perdoarei seus pecados e restaurarei sua terra" (2Cr 7.14).

Deus deseja que intercedamos porque nossas orações são realmente importantes.

Querido Senhor,

Sei que desejas que eu ore. Usa-me para fazer a diferença, para construir o muro e afastar as trevas. Humilho-me, busco tua face e me afasto de meus maus caminhos. Eu ouvirei do céu e tu perdoarás meus pecados. Agradeço-te porque minhas orações são realmente importantes.

Em nome de Jesus, amém.

Deus nos chama para orar

Deus chamou o profeta Elias para orar por algo que somente Deus poderia fazer: que uma seca assolasse a terra. O Senhor queria usar essa seca para obter a atenção total do rei Acabe. Tiago explica o que aconteceu: "Elias era humano como nós e, no entanto, quando orou insistentemente para que não caísse chuva, não choveu durante três anos e meio. Então ele orou outra vez e o céu enviou chuva, e a terra começou a produzir suas colheitas" (Tg 5.17-18).

Deus não poderia ter fechado e aberto as torneiras do céu sem a ajuda de Elias? Sem dúvida que sim. Mas não o fez porque queria que Elias fizesse parte do milagre. Deus chamou Elias para orar a fim de que pudesse responder a suas orações.

O autor Dutch Sheets afirmou: "A única resposta lógica para a indagação de por que Elias precisava orar é simplesmente que *Deus escolheu trabalhar usando as pessoas.* Mesmo quando o próprio Deus toma a iniciativa e deseja avidamente agir, ainda assim ele necessita que peçamos".[8]

Deus *necessita* que peçamos? Sério?

Creio que isso faz parte do mistério da oração, uma obra divina de amor baseada em um relacionamento com um Deus que nos amou primeiro e a quem amamos de volta. Quando estamos em um relacionamento com ele, começamos a nos mover juntos. Deus responde a quem pede, àquele que ora diante do impulso do Deus que responde. A oração se torna então um retrato de amor do Criador a suas criaturas e das criaturas a seu Criador.

Querido Senhor,

Eu te agradeço porque tu me amas. Eu também te amo! Ajuda-nos a que nos movamos como um só. Coloca pessoas em meu coração por quem desejas que eu ore e lembra-me de orar. Dá-me teu poder para ser obediente. Agradeço-te por me chamares a orar enquanto me aproximo ainda mais de ti.

Em nome de Jesus, amém.

– Conselho de intercessão –

Entrevistei vários intercessores sábios e fiquei extremamente impressionada com a vastidão de sua ponderação e experiência. Cada capítulo inclui alguns dos melhores conselhos e ideias a respeito de orações que movem montanhas.

Sheri Schofield aconselhou: "Conheça Deus intimamente". E então explicou como ela própria fez isso: "Depois que meu esposo ficou gravemente inválido, eu pedia a Deus que curasse Tim e também me ajudasse a saber como criar nossos filhos diante dele. Orei assim por cerca de um ano. Deus não curou meu marido por completo. Mas ele deu a Tim a capacidade de trabalhar e sustentar a família. E me deu sabedoria para criar os filhos praticamente sozinha. Como sou grata porque meus filhos cresceram e se tornaram cristãos fortes e compassivos que servem a Jesus!"

Ela conta ainda: "Durante minhas horas de oração, eu sentia a presença de Deus como nunca havia sentido. Certo dia, pedi a ele que me enchesse com o Espírito Santo, seja lá como isso fosse. Eu queria tudo de Deus, tudo que fosse possível ter deste lado da vida, sem reservas! Senti a presença de Deus de um lado, a de Jesus do outro e a do Espírito Santo como uma brisa morna que soprava em redemoinho a minha volta. Fui tomada de tal modo pela alegria que ria e chorava ao mesmo tempo. Entrei plenamente em sua presença, e isso me levou a um lugar sem igual de adoração e dependência de Deus".[9]

A dica de Sheri é sábia: aprofundar-se em Deus e buscar mais da presença do Espírito Santo em sua vida. Não tema! Sem a presença do Espírito Santo, não temos poder algum. Com ele, temos poder, força e discernimento que jamais alcançaríamos por conta própria.

Todos os heróis da fé conheceram a presença do Espírito Santo, inclusive os antigos profetas, o próprio Jesus, seus discípulos e líderes cristãos como Billy Graham, que explicou: "O Espírito Santo é quem dá poder para servir a Cristo. 'Vocês receberão poder quando o Espírito Santo descer sobre vocês, e serão minhas testemunhas' (At 1.8). Eu jamais poderia fazer a obra que realizo sem o poder do Espírito Santo".[10]

Os líderes cristãos de hoje que fazem real diferença para Cristo dependem da presença e do poder do Espírito Santo. Isso acontece porque o Espírito Santo é para *todos* os que creem que Jesus é seu Salvador. Lemos em 2Coríntios 1.21-22: "É Deus quem nos capacita e a vocês a permanecermos firmes em Cristo. Ele nos ungiu e nos identificou como sua propriedade ao colocar em nosso coração o selo do Espírito, a garantia de tudo que ele nos prometeu".

Todo cristão que nasceu de novo recebe a presença do Espírito de Deus ao convidar Cristo a entrar em sua vida e pedir perdão pelos pecados. No entanto, assim como Sheri, sempre é possível ter *mais* do Espírito Santo. Não se detenha. Faça esta oração simples: "Preciso de ti, Espírito Santo. Necessito de mais de ti em minha vida. Preenche-me completamente com teu amor, teu poder e tua presença. Dá-me tudo que tens reservado para mim. É o que peço em nome de Jesus".

– Desembainhe sua espada –

Concluiremos cada capítulo com um momento de oração ao nos unirmos como grupo de oração internacional que move montanhas, superando tempo e lugar a fim de levantar orações poderosas uns pelos outros, bem como por nossos amados. Antes de orar, porém, estudemos as armas de nossa batalha: promessas das Escrituras que usaremos ao orar.

A primeira espada da Palavra de Deus que vamos desembainhar é a oração que Jesus nos ensinou a fazer em Mateus 6.9-13:

Pai nosso que estás no céu,
santificado seja o teu nome.

Venha o teu reino.
Seja feita a tua vontade,
assim na terra como no céu.
Dá-nos hoje o pão para este dia,
e perdoa nossas dívidas,
assim como perdoamos os nossos devedores.
E não nos deixes cair em tentação,
mas livra-nos do mal.

– Posicionadas em seus postos de oração –

Querido Jesus,

Obrigada por me convidares a orar. Agradeço-te por te colocares na brecha comigo enquanto me aproximo do trono de Deus. Juntos formaremos uma equipe de oração poderosa para mover montanhas. Oramos com a espada desembainhada, com o poder de teu Espírito Santo e imersos nele. Sabemos que estás no céu. Queremos santificar teu nome e nos comprometemos a conservá-lo santo. Pedimos que teu reino venha logo! Clamamos que tua vontade seja feita tanto na terra como no céu. Obrigada porque é da tua vontade que nos tornemos intercessores fervorosos. Prometemos te servir dessa maneira. Ensina-nos a orar com teu amor e tua paixão. Dá-nos alimento e provisão para hoje. Perdoa nossos pecados e perdoa aqueles que pecaram contra nós. Ajuda-nos a não permitir que o pecado entre em nossa vida, mas livra-nos de suas garras. Resgata-nos de todas as artimanhas do maligno. Nós erguemos uns aos outros enquanto lemos este livro juntos. Pedimos que abras os olhos de nosso entendimento e nos ensines a orar.

Em nome de Jesus, amém.

2

O dom e os elementos fundamentais da oração

> Em primeiro lugar, recomendo que sejam feitas petições, orações, intercessões e ações de graça em favor de todos.
>
> 1TIMÓTEO 2.1

Visualizo os intercessores individuais como membros de um grande coral, com milhões de vozes e milhões de orações que harmonizam maravilhosamente até o céu e o coração de Deus. E a beleza é que nosso Deus — nosso Deus genial, onisciente e amoroso — concentra sua atenção em cada pedido.

É uma imagem extraordinária pensar nos milhões de orações que sobem a Deus neste exato momento. Mas leve em conta que cada uma dessas orações foi feita por um indivíduo diferente, com dons e chamado de oração únicos. É exatamente assim que minha amiga Tina Samples entende essa situação. Ela disse: "Precisei aprender que tipo de intercessora Deus me chamou para ser. Ou seja, precisei descobrir quais eram meus dons de oração".

Tina acredita que seus dons são duplos: orar em tempos de crise e engajar-se em batalhas espirituais. Para ilustrar sua descoberta, Tina me contou: "Na maioria das vezes, eu oro por coisas específicas. Por exemplo, certo dia, enquanto passava aspirador de pó na casa, foi como se estivesse ouvindo um amigo dizer: 'Preciso de ajuda!'".

Tina ainda não havia percebido que seu chamado à intercessão às vezes lhe dá oportunidade de fazer uma parceria com o Espírito de maneira sobrenatural. Por ser nova na prática da intercessão, ela resolveu ligar para o amigo a fim de ver como ele estava.

O amigo lhe disse: "Tina, ore! Não posso conversar agora".

Tina explicou: "Eu orei por ele, pedindo segurança em questões relacionadas ao trabalho e ousadia para falar caso necessário. Depois de um tempo, ele me retornou a ligação e disse que seu cunhado quase tinha entrado em uma briga com um fornecedor por causa do faturamento".

Antes de Tina conseguir lhe contar que o havia escutado pedir oração, o amigo disse: "No calor do momento, tudo que eu consegui dizer foi: 'Senhor, preciso de ajuda!'".[1]

O Espírito moveu. Tina recebeu a mensagem para orar. Deus respondeu à oração e a questão foi resolvida de forma pacífica. Uau!

Dons de oração

A história e as ideias de Tina sobre os dons de oração tocaram tanto meu coração que pesquisei um pouco e me debrucei sobre passagens bíblicas para criar uma lista de dons de oração:

____ interventor na crise: alguém que se põe de joelhos em tempos de crise.

____ mediador cultural: alguém que sente a responsabilidade de orar por igrejas, governos e outras esferas culturais de influência, como arte, educação, família, mídia e empresas.

____ incentivador: alguém que enxerga as boas intenções de Deus e as proclama sobre pessoas e situações.

____ lutador pela liberdade: alguém que ora por liberdade emocional e espiritual.

____ embaixador geográfico: alguém que ora por pessoas em localizações geográficas específicas, como cidades, estados ou países.

____ influenciador específico: alguém que ora clamando por questões específicas que tocam seu coração.

____ rogador de misericórdia: alguém que suplica por misericórdia por pessoas e situações.

____ clamador de milagre: alguém com fé para orar por milagres.

____ pacificador: alguém que ora pedindo paz sobre indivíduos ou situações.

____ amigo de oração: alguém que sente a responsabilidade de orar por pessoas específicas ou até grupos de pessoas.

____ reivindicador de promessas: alguém que ama orar citando as promessas de Deus, enquanto apresenta tanto as próprias necessidades quanto as necessidades de oração de outros.

____ agente de provisão: alguém com fé para clamar por provisão.

____ restaurador de redenção: alguém que pede perdão a Deus por situações, grupos, comunidades e nações.

____ suplicante de salvação: alguém que sente responsabilidade de orar pelos perdidos.

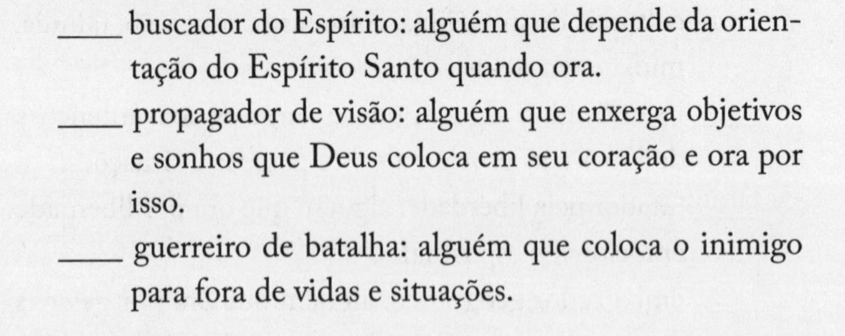

____ buscador do Espírito: alguém que depende da orientação do Espírito Santo quando ora.

____ propagador de visão: alguém que enxerga objetivos e sonhos que Deus coloca em seu coração e ora por isso.

____ guerreiro de batalha: alguém que coloca o inimigo para fora de vidas e situações.

As autoras do livro *Intercessors* [Intercessores] criaram sua própria lista de dons de oração e escreveram: "Você sabe que tem um campo missionário na oração, certo? Se não, talvez esteja comparando o seu campo com o de outra pessoa. Infelizmente, temos visto muitas pessoas que foram chamadas para ser grandes intercessoras, mas não descobriram a própria unção porque estavam ocupadas demais examinando os frutos do campo de oração de outros".[2]

Essas mulheres têm um excelente ensinamento a transmitir: precisamos identificar nossos dons de oração, mesmo que sejam diferentes dos que se manifestam na vida de outros cristãos em nossos círculos. Consigo me identificar em diversas categorias, que incluem: incentivadora, clamadora por milagres, buscadora do Espírito, propagadora de visão e guerreira de batalha. Certa vez, orei em silêncio por uma jovem e aquela oração silenciosa me ajudou a exercer meu dom de oração de incentivadora. Eu disse para Victoria:

— Quando orei por você, era como se eu a estivesse vendo. Você estava pegando o telefone para falar a respeito de uma preocupação após a outra.

Ela concordou.

— Eu estava fazendo exatamente isso! Como faço para parar?

Dei risada.

— É fácil! Entregue suas preocupações a Deus e pare de pegar o telefone.

Victoria deu uma bela risada. Ela se sentiu encorajada, e eu também.

É provável que alguns estejam pensando: "Eu nunca tive uma experiência de oração assim, Linda".

Tudo bem! Ore da maneira que Deus chama *você* a orar. Em meu caso, como sou uma incentivadora e também buscadora do Espírito, Deus me mostrou que minha nova amiga estava ocupada alimentando preocupações. Ele me mostrou isso para que eu pudesse incentivá-la.

Se Deus nunca o convida a orar dessa maneira, não significa que você perdeu o bonde da oração. Também não significa que eu sou louca ou estou errada. Quer dizer apenas que estou seguindo os dons divinos de oração em minha vida. Sou responsável por seguir a orientação divina. Você não é responsável por seguir o direcionamento de Deus para mim, sobretudo se a orientação divina para você for em uma direção diferente da minha. Você é responsável por orar da maneira que Deus chama você a orar.

Veja mais um exemplo de dom de oração com a experiência de minha amiga Suzanne. Ela tem claramente o dom de amiga de oração. Pouco tempo atrás, estávamos participando juntas de um congresso para escritores. Apesar de ter perdido minha filha apenas poucos meses antes, sentia-me forte. Mas as muitas perguntas preocupadas de pessoas amigas e queridas, do tipo: "Linda, como você *realmente* está se sentindo?", começaram a mexer com minhas emoções. Fiquei surpresa com a rapidez com que o luto deu as caras e ameaçou se manifestar em forma de lágrimas. Cada vez que isso acontecia, porém, meu luto de repente se transformava em suave paz. Em vez de entrar em colapso, eu sorria e assegurava aos queridos amigos que, muito embora sentisse saudade tremenda de minha filha, eu estava bem.

Após algumas horas nesse ioiô do luto, sentei ao lado de Suzanne no auditório principal para uma reunião geral. Ela segurou minha mão e me perguntou: "O que está acontecendo? Vez após vez, com minutos de diferença, Deus tem me chamado a orar por você".

De repente, entendi porque eu havia conseguido permanecer na paz de Deus. Cada vez que vinha um gatilho para o luto e o sofrimento, Deus chamava Suzanne a orar por mim e, em cada uma dessas ocasiões, a paz me encheu em resposta direta às orações de minha amiga.

É importante observar também que, ainda que você tenha os mesmos dons de oração de outra pessoa, o jeito que você é chamada para colocá-los em prática pode ser bem diferente. Por exemplo, minha amiga Janet Holm McHenry, autora do livro *The Complete Guide to the Prayers of Jesus* [Guia completo das orações de Jesus], é, assim como Suzanne, uma amiga de oração, mas também uma embaixadora geográfica. Ela me contou: "Fiz caminhadas de oração por mais de dezenove anos em volta da cidadezinha onde moro até finalmente reconhecer que sou uma intercessora. Eu sabia que Deus havia me chamado a orar por minha cidade, mas jamais havia presumido, ao longo de todos aqueles anos, que eu tinha o título de 'intercessora'. Senti-me humildemente privilegiada ao reconhecer que era isso que eu era".[3] Janet age como amiga de oração, exercendo seu dom ao orar pelas pessoas e pelas famílias nas casas por onde passa.

As maneiras de Deus nos chamar para orar podem parecer diferentes — e tudo bem! Minha parte preferida nessas histórias de dons de oração é a que Deus desempenha. Vez após vez, Deus leva alguém a orar a fim de poder responder a essa prece. E ele o faz porque deseja nos incluir em sua obra. Esse é o maior dom de todos.

Sem dúvida, Deus lhe dará um dom de oração especial. E, às vezes, ele pode chamar você e capacitá-la a orar de uma forma que esteja além de sua missão e experiência. Se isso acontecer, simplesmente ore para que você seja capaz de responder a esse chamado.

Separe um instante para voltar e estudar a lista de dons de oração. Então assinale ao lado de qualquer item com o qual seu coração se identifique. Após reconhecer seus dons de oração, não se intimide pelos dons de outros intercessores. Seja fiel orando da maneira que Deus a chamar para orar. Sheri Schofield declarou: "Se Deus colocou em seu coração o desejo de interceder, siga esse desejo! É uma vontade dada por Deus e ele atenderá seu pedido".[4] O autor Paul E. Miller afirmou: "Todos os ensinos de Jesus sobre oração nos evangelhos podem ser resumidos em uma palavra: peça!".[5]

Elementos fundamentais da oração

Enquanto você ora usando seus dons, alguns elementos fundamentais da oração ajudarão a fortalecer suas preces. Esses elementos fundamentais podem parecer básicos, mas são cruciais para a intercessão. A fim de orar com mais eficácia, devemos:

- Orar a Deus.
- Orar pelo nome poderoso de Jesus.

- Orar no poder do Espírito Santo.
- Orar segundo a vontade de Deus.
- Orar com fé.
- Orar pelo poder do sangue de Jesus.
- Orar de acordo com a Palavra.

Orar a Deus

Uma de minhas partes preferidas do livro *Cartas de um diabo a seu aprendiz*, de C. S. Lewis, é quando Maldanado, um demônio mais velho e experiente, instrui um diabo mais novo na arte de interromper a vida de oração de um cristão. Maldanado explica:

> Sei de casos em que aquilo que o paciente chamava de seu "Deus" era, na verdade, uma *localização física* — no canto esquerdo do teto do seu quarto, ou de dentro de sua própria cabeça, ou um crucifixo na parede. Mas qualquer que seja a natureza do objeto composto, você terá de mantê-lo orando para *aquilo* — para a coisa que ele fez, não para a Pessoa que o tenha criado. Talvez até mesmo encoraje a dar grande importância à correção e ao aperfeiçoamento do seu objeto composto, e a mantê-lo constantemente diante dos olhos de sua imaginação ao longo de toda a oração.[6]

O diabo continuou explicando que a situação se tornaria desesperadora se o homem deixasse de lado a própria imaginação e confiasse na "presença completamente real, externa, invisível, que estará com ele no quarto".[7]

Aqui então se encontra a resposta: devemos orar para o próprio Deus real, externo e invisível. Quer você acredite quer não, Deus está conosco agora, dentro do ambiente em que estamos, e promete nos ouvir. Lemos em 1João 5.15: "E, uma vez que sabemos que ele ouve nossos pedidos, também sabemos que ele nos dará o que pedimos".

Orar pelo nome poderoso de Jesus

Devemos usar o nome poderoso de Jesus para dirigir nossas orações, porque o nome dele nos dá acesso a Deus e é também o poder por trás de nossas orações. O próprio Jesus disse: "Vocês podem pedir qualquer coisa em meu nome, e eu o farei, para que o Filho glorifique o Pai" (Jo 14.13); e: "Vocês nunca pediram desse modo. Peçam em meu nome e receberão, e terão alegria completa" (Jo 16.24).

O nome de Jesus é tão poderoso que até cura os enfermos, conforme Pedro ilustrou quando orou por um paralítico junto à porta do templo. Ao ouvir o nome de Jesus, o homem se levantou de sua cama e andou (At 3.1-8).

Não deveríamos nos surpreender quando Deus responde até mesmo a nossas orações mais ousadas, pois 2Coríntios 1.20 afirma: "Pois todas as promessas de Deus se cumpriram em Cristo com um alto e claro 'Sim!'. E, por meio de Cristo, confirmamos isso, de modo que nosso 'Amém' se eleva a Deus para sua glória".

Orar no poder do Espírito Santo

Foi Jesus quem nos prometeu o Espírito Santo. Pouco antes de voltar ao Pai, ele disse aos discípulos: "Mas quando o Pai enviar o Encorajador, o Espírito Santo, como meu representante, ele lhes ensinará todas as coisas" (Jo 14.26).

O Espírito Santo habita dentro de nós. Em 1Coríntios 6.19 lemos: "Vocês não sabem que seu corpo é o templo do Espírito Santo, que habita em vocês e lhes foi dado por Deus? Vocês não pertencem a si mesmos".

O Espírito Santo também ativa a espada do Espírito, que é a Palavra de Deus (Ef 6.17). Hebreus 4.12 explica: "Pois a palavra de Deus é viva e poderosa. É mais cortante que qualquer espada de dois gumes, penetrando entre a alma e o espírito, entre a junta e a medula, e trazendo à luz até os pensamentos e desejos mais íntimos".

E o Espírito Santo nos ajuda a orar: "E o Espírito nos ajuda em nossa fraqueza, pois não sabemos orar segundo a vontade de Deus, mas o próprio Espírito intercede por nós com gemidos que não podem ser expressos em palavras" (Rm 8.26).

Eu amo saber que o Espírito ora por nós e nos ajuda a orar! Há momentos em que o Espírito Santo flui em mim não só me dando as palavras certas para orar, mas também me levando aos motivos de oração.

Isso aconteceu certa tarde de domingo quando fechei os olhos ao fim do culto. De repente, a imagem de minha amiga Vicki me passou pela cabeça, seguida por uma sensação de grande alarme.

"Senhor, por favor, mantém Vicki em segurança! Salva-a!", orei por meio do Espírito, sem fazer a menor ideia de que naquele exato momento Vicki estava descendo de bicicleta por uma trilha íngreme quando um esquilo cruzou seu caminho e quase provocou um acidente.

Só soube dessa história mais tarde, quando liguei para ela a fim de ver se estava tudo bem. Tive a certeza de que o Espírito não só me dirigiu em oração, como também me deu as palavras certas que devia usar para orar naquele momento.

Ainda assim, precisamos atender ao chamado da oração.

A amiga e escritora Carol Graham me contou sobre uma experiência que teve com o Espírito Santo: "Décadas atrás, o Senhor me perguntou se eu era alguém em quem o Espírito

Santo poderia confiar. Jamais me esquecerei disso e sou lembrada desse episódio quase todos os dias. Quando ele me pede para fazer algo ou coloca em minha mente uma preocupação por alguém, respondo com um sonoro 'Sim!'. O peso da responsabilidade só vai embora depois que oro completamente pela situação até a paz chegar".[8]

Minha prece é que cada cristão se abra ao Espírito Santo, pois ele nos ajuda a agir e orar em seu poder. Se o povo de Deus orasse no poder do Espírito Santo, seríamos capazes de mudar o mundo.

Orar segundo a vontade de Deus

Como conhecer a vontade de Deus? E se a vontade de Deus incluir desafios dos quais você não gostar?

No Antigo Testamento, José sabia tudo sobre desafios. Afinal, foi traído pelos irmãos, vendido como escravo e então lançado na prisão por um crime que não cometeu. Você acha que José dedicou tempo em oração clamando por intervenção divina? Quase consigo ouvi-lo suplicar: "Por favor, Senhor, liberta-me!".

E se Deus tivesse deixado de lado a própria vontade para a vida de José, destrancado a fechadura e o deixado escapar da prisão? Multidões morreriam de fome. Mas como Deus não permitiu que José saísse logo da prisão, José estava bem ali quando foi necessário, pronto para interpretar os sonhos de faraó e adverti-lo quanto à fome futura. Estava no lugar certo, pronto para supervisionar o recolhimento e o armazenamento de grãos. Também estava no lugar certo quando seus irmãos famintos se prostraram diante dele ao viajarem em busca de alimento para a família que passava necessidade em sua terra distante. Todos os sonhos aparentemente loucos de José não só se tornaram realidade, como também ele reencontrou a família e ajudou a salvar muitas vidas.

É possível que nem sempre entendamos qual é a vontade de Deus, e isso pode nos levar, às vezes, a orar por nossa vontade, em lugar de buscar a vontade dele. Mas quando começamos a pedir que a vontade do Senhor se faça, oramos em concordância com a vontade dele, quer a compreendamos com clareza no momento, quer não.

Então, ao orar segundo a vontade de Deus, precisamos entender que nem sempre ela se assemelhará a nossos sonhos ou objetivos. Mas a vontade dele sempre é a melhor.

Orar com fé

A Bíblia diz: "Se crerem, receberão qualquer coisa que pedirem em oração" (Mt 21.22).

Nem sempre é fácil orar com fé, em parte porque é difícil tirar os olhos do problema e direcionar o foco para Deus. No entanto, quando desenvolvemos confiança em Deus, temos certeza de que ele nos ouve e sabemos que nos responderá, é nesse exato momento que podemos relaxar em sua paz e experimentar a alegria da fé.

Uma oração de fé empolgante começou certo sábado pela manhã. Eu havia dirigido por mais de trinta quilômetros em meio a uma tempestade terrível de Longmont, Colorado, até a cidade de Loveland para participar de uma reunião. Chovia forte fazia dias e a previsão do tempo indicava ainda mais chuva. Durante a reunião, uma amiga me disse:

— Meu filho mora do outro lado da cidade. Ele está prestes a evacuar a casa e sair do bairro por causa da inundação.

Senti minha fé aumentar.

— Vamos orar para que cesse a chuva sobre Longmont.

— Ok — disse ela.

— Céu azul — falei. — Querido Senhor, dá-nos céu azul sobre Longmont.

Ainda estava chovendo forte quando comecei o caminho de volta para casa. Mas não me preocupei enquanto o limpador de para-brisas ia de um lado para o outro diante do verdadeiro dilúvio em andamento. Experimentei confiança sobrenatural em Deus. Ao dirigir pela estrada, tive uma visão perfeita da tempestade. As nuvens escuras se acumulavam na longa cordilheira a oeste e não pareciam dispostas a mudar de posição. Nem eu. Enquanto dirigia, analisava as nuvens acima de minha cidade à distância e orava para que o céu azul aparecesse.

Foi então que observei: um buraco minúsculo de azul penetrou o cinza. Dei risada e orei com mais intensidade: "Obrigada, Deus, pelo céu azul!".

A manchinha azul à minha frente crescia enquanto a chuva continuava a cair, mas só até eu pegar a saída da rodovia em direção a minha casa. Embora ainda houvesse céu chuvoso e cinzento ao meu redor, logo dirigi debaixo de raios de sol, que dançavam pelo asfalto por toda a cidade.

A previsão do tempo no noticiário daquela noite só confirmou o que eu já sabia: uma tempestade assolou todas as cidades da região de Front Range, no Colorado, com exceção de uma. Naquele dia em Longmont, não houve chuva.

A inundação local retrocedeu e o filho de minha amiga não precisou sair de casa, pois Deus havia atendido nossa oração.

O que você acha que aconteceu primeiro: a fé para acreditar ou o chamado de Deus para orar? Na verdade, creio que a necessidade do milagre veio antes. Eu jamais teria orado por um buraco de céu claro em meio à tempestade se o filho de minha amiga não estivesse em perigo.

Senti fé mesmo sem evidências de que Deus estava respondendo a minha oração, mas minha confiança explodiu quando vi aquela primeira manchinha de céu azul irromper em meio às nuvens distantes. Que momento maravilhoso! Eu soube, sem sombra de dúvida, que Deus havia interrompido a tempestade implacável apenas para dizer "Sim!" a mim e minha prece por céu azul. Aliás, creio que ele orquestrou tudo só para me dar mais um motivo para amá-lo e ter fé no fato de que ele realmente atende orações.

Orar pelo poder do sangue de Jesus

Certa vez no rádio ouvi um pregador dizer: "Você encontrará mais respostas a suas orações quando orar pelo sangue de Jesus". Ele estava certo. Nossas orações são mais poderosas quando as encerramos falando: "No poderoso sangue de Jesus". Apocalipse 12.11 declara que Satanás foi derrotado "pelo sangue do Cordeiro".

Por que o sangue de Jesus é tão poderoso? Porque purifica o pecado e leva embora a vergonha. Torna-nos justos diante de Deus.

O sangue de Jesus também aterroriza o diabo. Quando Satanás entra na sala do trono para nos acusar, se há algo sobre o que ele não pode mentir nem distorcer é o sangue de Jesus. O sangue de Cristo cobre nossos pecados, cura nossas doenças, torna-nos perfeitos, dá-nos ousadia de entrar na presença de Deus, coloca os demônios para correr, derrota o diabo e nos concede paz, livramento e vitória. Tira-nos das garras do acusador e nos torna livres. Conforme explicou o pastor sul-africano Andrew Murray: "O sangue foi derramado para nos unir com Deus".[9]

Orar de acordo com a Palavra

Deus tem promessas para descobrirmos em todos os livros da Bíblia. Em meu livro *Praying God's Promises: The Life-Changing Power of Praying the Scriptures* [Orando as promessas de Deus: O poder transformador de proferir as Escrituras em oração], escrevi: "Quando você conhece aquele que fez a promessa, pode confiar no que ele prometeu. Aliás, é no exato instante em que você crê em uma das promessas de Deus que ele ativa essa promessa em sua vida".[10] É por isso que, no decorrer deste livro, oraremos de acordo com a Palavra, desembainhando a espada das promessas divinas antes de orar.

Se você fizer uma oração usando os elementos fundamentais da oração que acabamos de abordar, ficaria mais ou menos assim:

Querido Deus,

Achego-me a tua presença no nome poderoso de Jesus e no poder do Espírito Santo. Peço que a tua vontade e o teu melhor sejam feitos em relação a ______. Oro crendo que tu me ouves e me responderás. Clamo no poder do sangue de Jesus e de acordo com tua Palavra, que diz: "Pois todas as promessas de Deus se cumpriram em Cristo com um alto e claro 'Sim!'. E, por meio de Cristo, confirmamos isso, de modo que nosso 'Amém' se eleva a Deus para sua glória" (2Co 1.20).

Em nome de Jesus, amém.

– Conselho de intercessão –

Janet Holm McHenry disse: "Jesus orava a todo instante: de manhã, de noite, no monte, no jardim. Ele não tinha uma lista de oração por escrito, pelo que sabemos. Permanecia em comunicação com o Pai em todo tipo de situação. Creio que ele nos concede a graça de fazer o mesmo à medida que nos sentimos guiados a isso".[11]

Também amo que Janet ora citando as Escrituras. Ela conta: "Às vezes, Deus me traz um versículo à memória e ele se torna parte da oração, quase como uma promessa e minha própria declaração de confiança de que ele cumpre sua Palavra".[12]

Minha amiga LaDell Dudley também é reivindicadora de promessas e lutadora pela liberdade. Ela compartilhou o seguinte conselho: "Antes de mais nada, desapegue de ideias preconcebidas de intercessão! Jesus quer liderar, guiar e ajudar você ao longo de toda sua vida de oração. Comece onde está. Ore, mesmo que tenha apenas alguns minutos. Aumente gradualmente esse tempo de oração todos os dias. Tenha um caderninho e uma caneta por perto, para poder anotar seus pensamentos. Deixe sua versão preferida da Bíblia à mão. Ore com o coração agradecido. Não se acanhe, mas seja honesta com Deus, inclusive ao compartilhar suas emoções".[13]

– Desembainhe sua espada –

Separe um momento para meditar nestas espadas, que usaremos ao orar juntos:

Pois todas as promessas de Deus se cumpriram em Cristo com um alto e claro "Sim!". E, por meio de Cristo, confirmamos isso, de modo que nosso 'Amém' se eleva a Deus para sua glória.

2Coríntios 1.20

Pergunte-me e eu lhe contarei coisas maravilhosas, segredos que você não sabe, a respeito do que está por vir.

Jeremias 33.3

Quanto a mim, busco o SENHOR e espero confiante que Deus me salve; certamente meu Deus me ouvirá!

Miqueias 7.7

– Posicionadas em seus postos de oração –

Querido Senhor,

É tão empolgante que nós, intercessoras individuais, tenhamos nos unido por meio deste livro para orar em lugares e momentos diferentes umas pelas outras e pelas pessoas a quem amamos.

Oramos por este livro, a fim de que seja usado para chamar e capacitar intercessores do mundo inteiro. Nós te louvamos por esta mensagem de intercessão e pedimos que nos abras os olhos para nossos dons e chamados de oração. Ajuda-nos a aprender como colocá-los em prática.

Agradecemos por nos dares promessas para orarmos enquanto intercedemos. "Pois todas as promessas de Deus se cumpriram em Cristo com um alto e claro 'Sim!'. E, por meio de Cristo, confirmamos isso, de modo que nosso 'Amém' se eleva a Deus para sua glória" (2Co 1.20). Agradecemos porque podemos clamar a ti e tu nos responderás. Clamo a ti agora com as seguintes preocupações e com estes pedidos: ______.

Sento-me em tua presença com papel e caneta. Anotarei qualquer coisa que ouvir e lerei todos os textos bíblicos que colocares em meu coração. Senhor, que extraordinário teres encontrado um jeito, por meio da obra de Jesus na cruz, não só de me salvar, mas também de me ouvir. Em ti busco auxílio. Espero na confiança de que me respondas. Deposito minha intercessão perante ti a fim de que possa ser testemunha de teu poder para mover montanhas.

Obrigada por ouvires meus pedidos. Eu louvo teu santo nome. Faço esta oração no poder do Espírito, de acordo com a tua Palavra, no nome e no poder do sangue de Jesus. Amém.

3
A oração como nossa arma secreta

> Ó Jerusalém, coloquei vigias sobre seus muros; eles vigiarão continuamente, dia e noite. Não descansem, vocês que oram ao SENHOR! Não deem descanso ao SENHOR até que ele complete sua obra.
>
> ISAÍAS 62.6-7

A oração é nossa arma secreta porque temos um Deus que ouve nossas orações. Não lutamos contra os fortes sozinhos. Somos totalmente apoiados pelo próprio Senhor, conforme explica Zacarias 4.6: "Não por força, nem por poder, mas pelo meu Espírito, diz o SENHOR dos Exércitos".

Para colocar esse ensino na perspectiva certa, imagine que você está caminhando pela rua com um amigo, quando um homem do tamanho de Golias puxa seu colega pelo colarinho e este fica balançando os pés acima da calçada. O grandalhão então fecha o punho, pronto para acertar o rosto de seu amigo com toda a força.

Você adoraria deter esse gigante, mas como conseguiria?

Bem, é fácil! Você pode ir até o grandão, cutucar seu ombro e dizer:

— Ordeno que pare com isso!

O gigante se vira e olha para baixo em sua direção. Sua gargalhada ecoa como um trovão. Ali está você, com as mãos nos quadris, lançando-lhe seu olhar mais severo. Ao encarar os olhos brilhantes do monstro, ele subitamente estremece. Devagar e com mansidão, coloca seu amigo no chão, solta-o e se afasta.

— Como você quiser... — ele murmura, antes de fugir correndo.

Você limpa as mãos e as coloca novamente nos quadris. Bem, você lhe deu uma lição! Ganhou a batalha pela força da intimidação. Certo?

E se eu lhe dissesse que alguém está atrás de você, alguém muito maior e mais forte do que seu oponente? Você se vira e vê Jesus, o Salvador ressurreto, em toda sua glória. O próprio Jesus a estava protegendo o tempo inteiro! Não é de se espantar que o homem forte tenha fugido. Ele não recuou com base em seu poder, mas, sim, no poder de Cristo.

Por meio da oração, clamamos a Jesus por ajuda e, com sua autoridade e seu poder, somos capazes de afugentar as trevas. Podemos até orar por coisas que não temos o poder pessoal de livrar, uma vez que não oramos em nosso nome, nem em nosso próprio poder. Oramos no nome, no sangue e no poder de Jesus, nosso Salvador ressurreto.

O índice de aprovação do rei Herodes aumentou quando ele executou Tiago, irmão de João. Satisfeito por ter encontrado uma maneira de satisfazer os judeus, decidiu que Pedro seria o próximo e ordenou sua prisão. Trancou o apóstolo na cadeia e resolveu executá-lo após a Páscoa.

Imagine o pobre Pedro na cela. Era um homem condenado! Além de ter correntes prendendo suas mãos, dois guardas o vigiavam, um de cada lado, e outros dois estavam postados do lado de fora. Herodes caprichou na segurança para garantir que Pedro não tivesse condições de escapar.

Tudo isso, porém, aconteceu antes que fosse aplicada uma arma secreta à situação: um grupo de cristãos que se reunia na casa de Maria, mãe de João Marcos, orou com fervor pela libertação de Pedro.

Lá na cela escura, Pedro dormia da melhor maneira que conseguia, até que um anjo reluzente o despertou, dizendo:

— Levante-se! Depressa!

Pedro achou que estava sonhando, mas se pôs de pé e, ao fazê-lo, as correntes se soltaram. O anjo lhe disse:

— Calce seus sapatos.

Assim que Pedro pôs as sandálias nos pés, o anjo disse:

— Siga-me!

Pedro não hesitou. Seguiu o anjo passando pela porta da cela, pelos guardas e pelas barras de ferro das portas da prisão. Elas se abriram e Pedro seguiu o anjo para fora. De repente, o anjo desapareceu e Pedro se viu sozinho, andando na rua. Não, não havia sido um sonho!

Ele saiu correndo até a casa na qual seus amigos estavam reunidos orando e interrompeu as preces com uma batida à porta. Uma jovem serva atendeu e ficou tão surpresa ao ver Pedro que fechou a porta de novo bem na frente dele e correu até o grupo de oração. Sem fôlego, ela disse:

— Pedro está à porta.

Os guerreiros de oração riram dela.

— Você deve estar louca!

Pedro continuou batendo.

Então um pensamento grave incomodou o grupo. Talvez Pedro tivesse sido executado e seu fantasma ou quem sabe seu anjo estava agora batendo à porta. Talvez o grupo não fosse mesmo atender, porém Pedro não desistiu de bater.

Finalmente, escancararam a porta e viram o rosto sorridente de Pedro. Eles mal podiam acreditar! Deus havia respondido a suas orações (relato com base em At 12.1-17).

Consigo me identificar com esse grupo de guerreiros de oração. E você? O problema era que eles não se davam conta do poder de suas orações, nem do poder de Deus de atender orações. Ainda bem que nós também temos a arma secreta da oração! É só perguntar a Sandy, que hoje já é bisavó, mas muitos anos atrás vivenciou um resgate pela oração que salvou sua vida.

Uma depressão pós-parto aliada à solidão profunda por causa das horas sem-fim que seu esposo passava no trabalho a levaram ao limite certa noite. Foi então que uma voz demoníaca, disfarçada dos próprios pensamentos, começou a atormentá-la. A voz lhe dizia que o bebê e seu marido ficariam muito melhores sem ela. Em um momento de dor e desespero, Sandy tirou um revólver do armário e o segurou contra a própria cabeça. Ela apertou os olhos enquanto lágrimas escorriam por sua face. Foi quando ouviu uma voz dizer: "Sandy, não!".

Chocada, recobrou a razão e rapidamente colocou a arma bem longe, horrorizada diante do que quase havia acabado de fazer.

Na manhã seguinte, o telefone tocou. Sua mãe lhe perguntou: "Sandy, o que aconteceu com você ontem à noite? O Senhor me colocou de joelhos para orar por você. Eu não parava de clamar: 'Sandy, não!'".[1]

Que resgate de oração extraordinário! É assim que devemos ver a oração intercessora. Em muitos aspectos, trata-se de um resgate de intercessão.

O escritor Paul E. Miller afirmou: "É orando que faço meu melhor trabalho como marido, pai, trabalhador e amigo".[2] E Mark Batterson escreveu: "Orar é comprar briga com o inimigo. É batalha espiritual. A intercessão nos transporta do banco de reservas para a linha de frente sem sair do lugar. E é aí que a batalha é ganha ou perdida. A oração faz a diferença entre nós lutarmos por Deus e Deus lutar por nós. Mas não podemos somente dobrar os joelhos. Também precisamos dar um passo, nos posicionar. E quando fazemos isso, jamais temos como saber o que Deus realizará em seguida".[3]

Como usar nossa arma secreta

Tomar uma posição coloca um novo efeito à nossa ilustração do gigante em fuga. A batalha é vencida quando tomamos uma posição e nos firmamos no poder de Jesus. Jamais enfrentamos nosso inimigo sozinhos. Enfrentamos o inimigo em Jesus e por meio dele. Essa é uma boa notícia porque vivemos em um mundo caótico que necessita de nosso poderoso Salvador. Hoje mesmo eu visitei Alisha, uma jovem casada que é voluntária em um grupo de adolescentes de sua igreja. Ela me disse que ficou chocada ao descobrir o tipo de crises que aquelas garotas enfrentavam com pais alcoólatras, lares instáveis, drogas, automutilação, bulimia e sexo pré-conjugal. Era tudo tão estarrecedor que ela não sabia como ajudá-las. Por isso, fez a única coisa que estava a seu alcance: lançou mão de sua arma secreta, a oração. Também começou a contar para as meninas sempre que Deus trazia uma delas à lembrança. Certo dia, ela disse a Makayla:

— Quero lhe contar que Deus me levou a orar por você ontem à noite.

Makayla a olhou maravilhada.

— As coisas estavam complicadas lá em casa, mas você estava orando por mim? Ninguém jamais fez isso antes!

Só de saber que alguém se importava o suficiente para orar fortaleceu Makayla. Mas as orações de Alisha vão mais fundo do que apenas servir de força incentivadora na vida daquelas adolescentes. As orações de Alisha chegam a um Deus que ama aquelas meninas e deseja ajudá-las e fortalecê-las.

Alisha contou: "Por fora, não parece que muita coisa mudou, com exceção de que agora essas jovens têm algo em comum. Pela primeira vez na vida, elas têm esperança".

Alisha continua a orar pelas meninas e as está ensinando a orar umas pelas outras. Sabe que suas orações estão levando luz às trevas delas e esperança para corações partidos.

Quando Alisha me contou essa experiência, também me senti tocada a orar pela situação de diversas formas. Essa história engatilhou alguns de meus dons de oração, como clamadora por milagres e guerreira de batalha. E imagino que essa história despertou alguns de seus dons de oração também. Eu incentivo você a orar por essa jovem e sua turma, usando seus dons de oração. Aliás, ore agora mesmo, sem pressa. Ore da maneira que você deseja orar pelo grupo de Alisha. Depois disso, use a lista a seguir para confirmar ou descobrir dons adicionais de oração.

____ Você sentiu de maneira aguda a crise envolvida nessa história e orou para que se resolva. Você é uma interventora na crise.

____ Você orou pela cultura que causa esse tipo de problema em meninas de treze anos. Você é uma mediadora cultural.

____ Você orou para que Deus encoraje essa professora, essas adolescentes e todos os que passam por situações semelhantes. Você é uma incentivadora.

____ Você orou por liberdade espiritual e emocional para essas garotas. Você é uma lutadora pela liberdade.

____ Você se perguntou onde isso aconteceu. Orou por essa região, bem como pela sua. Você é uma embaixadora geográfica.

____ Você clamou pelas questões específicas que impactam tão negativamente a vida dessas adolescentes. Você é uma influenciadora específica.

____ Você pediu misericórdia e graça para essas moças, seus pais e familiares. Você é uma rogadora de misericórdia.

____ Você clamou para que essas jovens tenham não só esperança, mas também encontrem soluções milagrosas. Você é uma clamadora por milagre.

____ Você orou pedindo paz no lar, na família e nas circunstâncias de vida dessas meninas. Você é uma pacificadora.

____ Você pensou em cada uma dessas moças como indivíduos e orou especificamente por elas como pessoas que necessitam de amor e cuidado. Você é uma amiga de oração.

____ Você escolheu uma promessa bíblica para clamar na vida dessas meninas, como, por exemplo: "Apesar de tudo isso, somos mais que vencedores por meio daquele que nos amou" (Rm 8.37). Você é uma reivindicadora de promessas.

____ Você pediu provisão para esse grupo de jovens e outros, a fim de que possam fazer uma diferença ainda maior. Você é uma agente de provisão.

____ Você se arrependeu em nome da sociedade que, de algum modo, contribui para os problemas de seus adolescentes. Você é uma restauradora de redenção.
____ Você pediu que essas moças e suas famílias encontrem Jesus. Você é uma suplicante de salvação.
____ Você orou da maneira que o Espírito Santo dirigiu, orando inclusive por detalhes que eu não compartilhei. Você é uma buscadora do Espírito.
____ Você orou pela visão maravilhosa que Deus tem para o futuro dessas meninas e de suas famílias. Você é uma propagadora de visão.
____ Você orou para que o inimigo vá embora da vida das adolescentes. Você é um guerreira de batalha.

Agradeço sua oração! E continue a orar por essas meninas, bem como pelas crianças feridas em suas próprias comunidades.

Maneiras de orar

Conversamos sobre os dons de oração. Vamos falar agora sobre maneiras de orar. As maneiras de orar não se referem necessariamente aos dons, mas a estilos de oração que podemos adotar ou em torno dos quais podemos gravitar, dependendo da necessidade ou da situação.

Os estilos de oração que destacaremos incluem:

- Com listas.
- Com horário marcado.
- Prostrada.
- Com toda a armadura de batalha.
- No Espírito.

- Até o peso da preocupação passar.
- Por meio da adoração.
- Com a Palavra de Deus.
- Sem cessar.
- De maneira espontânea.

Com listas

Há pessoas que gostam de fazer listas com necessidades de oração, como minha amiga Julie Morris. Ela explica: "Descobri que dedicar apenas alguns minutos escrevendo um diário de minhas orações todos os dias faz enorme diferença em minha vida e na vida das pessoas por quem estou orando. Quando não tenho uma lista, acabo deixando pessoas de fora e não quero ser culpada de dizer: 'Vou orar por você' e depois me esquecer".[4]

Assim como Julie, também amo fazer listas e é maravilhoso quando posso marcar um x ao lado de um pedido de oração atendido.

Com horário marcado

Alguns intercessores gostam de ter horário marcado para orar. Alguns oram antes de se levantar da cama, durante uma hora tranquila agendada, nas refeições ou logo antes de se deitar à noite. A boa notícia é que não existe hora errada para orar. Salmos 55.17 diz: "Pela manhã, ao meio-dia e à noite, clamo angustiado, e ele ouve minha voz".

Prostrada

Quando eu era uma jovem recém-casada, o marido de uma vizinha me ligou e pediu: "Ore por Krissy. Ela está sentindo dores terríveis e estamos a caminho do hospital".

Senti uma inquietação tão grande para orar que fiz algo que jamais havia realizado em minha vida de oração. Prostrei-me com o rosto no carpete e orei ao Senhor de todo o coração para que ele curasse Krissy. Permaneci naquela posição até passar minha inquietude e tudo se tranquilizar. Foi então que soube que minha amiga Krissy ficaria bem. E ela ficou mesmo!

A Bíblia dá exemplo de pessoas orando prostradas? Sim, sobretudo Jesus, conforme revela Mateus 26.39: "Ele avançou um pouco, curvou-se com o rosto no chão e orou: 'Meu Pai! Se for possível, afasta de mim este cálice. Contudo, que seja feita a tua vontade, e não a minha'". Se Jesus orava assim, é um bom estilo de oração para tentarmos em nossa vida também. Da próxima vez que tiver uma necessidade urgente de oração, tente essa postura.

Com toda a armadura de batalha

Você pisaria fundo no acelerador de uma moto sem capacete ou enfrentaria um homem armado sem nenhuma proteção corporal? Passaria o inverno na Antártida sem roupas apropriadas, abrigo ou combustível? Se puder fazer essas coisas, então também suponho que seria capaz de enfrentar o diabo sem a verdade ou sem a Palavra de Deus. Você tem liberdade para fazer o que quiser, mas ignorar precauções básicas de segurança pode acabar em calamidade.

Vivemos num mundo que é um verdadeiro campo de batalha, o lugar onde as forças de Deus confrontam as hostes do mal. Você realmente acha que podemos nos desviar de balas, canhões e flechas inflamadas sem nenhuma proteção? Podemos até tentar, mas não por muito tempo.

Não se engane: você precisará de roupa de proteção ao sair para batalhar contra o inimigo por meio da intercessão. Paulo nos advertiu sobre o conflito em que estamos envolvidos ao escrever Efésios 6.10-13, que diz:

> Uma palavra final: Sejam fortes no Senhor e em seu grande poder. Vistam toda a armadura de Deus, para que possam permanecer firmes contra as estratégias do diabo. Pois nós não lutamos contra inimigos de carne e sangue, mas contra governantes e autoridades do mundo invisível, contra grandes poderes neste mundo de trevas e contra espíritos malignos nas esferas celestiais. Portanto, vistam toda a armadura de Deus, para que possam resistir ao inimigo no tempo do mal. Então, depois da batalha, vocês continuarão de pé e firmes.

Paulo prossegue explicando, em uma ilustração maravilhosa, quais são as vestes apropriadas para a batalha (v. 14-17):

> Assim, mantenham sua posição, colocando o cinto da verdade e a couraça da justiça. Como calçados, usem a paz das boas-novas, para que estejam inteiramente preparados. Em todas as situações, levantem o escudo da fé, para deter as flechas de fogo do maligno. Usem a salvação como capacete e empunhem a espada do Espírito, que é a palavra de Deus.

Permita-me incentivar você a vestir a armadura todos os dias, em especial quando separar tempo para orar. A fim de se preparar, ore assim:

Querido Senhor,

Assumo minha posição em ti. Visto tua verdade. Coloco tua justiça. Envolvo-me em tua paz por causa das boas-novas de Jesus. Apego-me firmemente à fé como a um escudo, para que as flechas inflamadas do diabo não me queimem. Revisto-me da salvação de Jesus e empunho a espada do Espírito, que é a Palavra de Deus.

Em nome de Jesus, amém.

Em outras palavras, ore debaixo da proteção de Deus, em Jesus, com a armadura de Jesus e por meio dele. Após colocar toda a armadura, não sinta medo de afugentar as trevas enquanto intercede pelos outros. Você pode fazer orações de batalha como a seguinte:

Querido Senhor,

Mando embora as trevas que rodeiam ______ e acendo a luz de tua verdade e de teu amor. Mediante o poder de teu sangue, quebro qualquer mentira em que ______ acredite. Por meio do poder de teu sangue, exponho qualquer armadilha montada para ______. Senhor, também mostra para ______ teu grande amor e tua imensa misericórdia. Envia teus anjos para guardar e proteger ______ do inimigo.

Em nome de Jesus, amém.

No Espírito

Também devemos orar no Espírito, conforme explica Efésios 6.18: "Orem no Espírito em todos os momentos e ocasiões. Permaneçam atentos e sejam persistentes em suas orações por todo o povo santo".

Eu amo pedir ao Senhor que me conduza em oração por intermédio de seu Espírito, pois às vezes não sei como devo orar. Certa noite eu estava orando sobre uma questão que uma amiga querida tem enfrentado. Eu achava que sabia o que era necessário para resolver, então pedi: "Senhor, por favor, direciona a situação da maneira que eu acho que deve ser". Foi então que ouvi a doce voz do Espírito sussurrar a meu coração: "Você não entende o que está pedindo".

Imediatamente mudei o rumo da súplica. "Tens razão, Senhor. Eu não sei o que tu sabes, então talvez esteja clamando pela solução errada. Se assim for, peço que me perdoes e faças o que necessita ser feito. Nesse meio-tempo, porém, oro por esta amiga amada. Que ela se fortaleça em ti. Peço que ela ouça tua voz e saiba que tu estás ao lado dela. Entrego toda a situação em tuas mãos".

Não sei como Deus responderá a minha oração, mas em seu Espírito eu posso descansar, ciente de que o Senhor agirá em favor de minha amada amiga.

Se você não sabe como orar no Espírito, peça ajuda a Deus. Rogue que ele lhe mostre como quer que você ore. E console-se com as palavras do bispo anglicano John Charles Ryle: "Não tema se você orar de forma gaguejante, com pés frágeis e vocabulário pobre. Jesus consegue entender você!".[5] Jesus a entende por meio do Espírito. Oremos no Espírito Santo agora.

Querido Jesus,

Que teu Espírito Santo flua por meu intermédio enquanto eu oro. Ajuda-me a orar não em meu entendimento, mas em teu entendimento e em tuas palavras, em teu Espírito.

Em nome de Jesus, amém.

Até o peso da preocupação passar

Eu amo orar até sentir paz. Quando isso acontece, sinto alívio. É nesse instante que o fardo se levanta e eu sei que Deus me ouviu e sua resposta está a caminho. A escritora Joy Schneider explicou: "A oração eficaz acontece quando a atmosfera muda de angústia para paz. A mudança acontece quando nós somos transformados e nosso medo é tragado pela fé. É quando reconhecemos que Deus está agindo em nosso favor, mesmo quando nada na esfera natural confirma essa crença".[6]

Recentemente, eu estava orando com uma amiga por uma preocupação grave quando minha alma se inundou de alívio. Naquele instante, tive fé para crer que tudo se resolveria e falei para minha amiga: "Vai ficar tudo bem agora". E ficou mesmo!

Quando puder, separe um tempo para orar por uma questão urgente até o peso da preocupação passar. É uma experiência extraordinária.

Por meio da adoração

Amo orar por meio da adoração. Aliás, tenho listas no YouTube com minhas músicas preferidas, algumas para adoração, algumas para expressar minha alegria no Senhor e outras para me ajudar a afastar o inimigo. Numa noite eu compartilhei minha lista chamada "Cânticos de vitória na batalha",[7] no meu canal *Linda Evans Shepherd* no YouTube, com uma amiga que estava se sentindo bastante desanimada. "Deixe a música ajudá-la a orar", orientei.

Essa lista específica tem alguns hinos muito poderosos que oram por mim quando estou cansada ou desanimada demais para orar, como a canção "Our God Reigns Here" [Nosso Deus reina aqui], de John Waller. Eu ouço, concordo com a letra e, quando menos percebo, já me sinto mais forte e pronta para uma lista de músicas mais alegres, que incluem "The Champion" [O Vencedor], "Sunday's on the Way" [Está chegando o domingo] e "Addicted to Jesus" [Viciada em Jesus], de Carman Licciardello.[8]

Músicas ungidas e alegres têm poder para nos ajudar a adorar com júbilo. Isso é importante porque o júbilo é sinal de que desapegamos do medo e aprendemos a confiar em Deus com mais profundidade. É como Davi disse em Salmos 28.7: "O SENHOR é minha força e meu escudo; confio nele de todo o coração. Ele me ajuda, e meu coração se enche de alegria". Assim, de muitas maneiras, encontrar júbilo e alegria nos ajuda a confiar em Deus.

O Senhor entende nossa confiança como fé quando oramos. Davi também afirmou em Salmos 25.3: "Quem confia em ti jamais será envergonhado".

Há alguns anos, eu me sentei no avião ao lado de uma cristã deprimida a quem chamarei de Sheila. Começamos a conversar e eu a ouvi descrever suas dores. Então eu disse:

— Sabe o que eu faria se fosse você? Entraria no YouTube e colocaria músicas de Toby Mac ou Mandisa.

Ela pareceu chocada com minha sugestão e comentou:

— Mas as músicas de Toby Mac e Mandisa me fariam dançar!

— Bem — comentei com uma risada —, adorar a Deus com músicas alegres é muito melhor do que cantar apenas lamentos!

Permita-me sugerir que, ao orar, você comece adorando a Deus com músicas que elevem seu coração a ele. Esse conselho é tão bom que Andrew Murray, um maravilhoso pregador da África do Sul, diz: "Toda vez, antes de interceder, aquiete-se primeiro e adore a Deus em sua glória. Pense em tudo que ele é capaz de fazer e em como ele se alegra em ouvir as orações de seu povo remido. Pense em seu lugar e privilégio em Cristo e espere coisas grandiosas!".[9]

Com a Palavra de Deus

Debbie Przybylski, da organização Intercessors Arise International, afirmou: "Jesus conhecia o poder da Palavra de Deus em intercessão. Quando foi tentado pelo diabo no deserto, citou a Palavra de Deus. O inimigo foi embora por causa do poder da Palavra de Deus. Jesus sabia que pronunciar a Palavra de Deus proporcionaria superação nos momentos mais difíceis de ataque espiritual".[10]

Debbie transmite uma ideia interessante. O Espírito Santo conduziu Jesus para o deserto, onde ele foi severamente provado por Satanás por quarenta dias. Durante esse período, Jesus jejuou e sentiu muita fome. Foi então que Satanás lhe disse: "Se você é o Filho de Deus, ordene que esta pedra se transforme em pão". Qual foi a resposta de Jesus? "As Escrituras dizem: 'Uma pessoa não vive só de pão'" (Lc 4.3-4).

Jesus estava citando Deuteronômio 8.3, com base em um ensino de Moisés. Moisés estava lembrando que o povo devia depender de Deus — não de pão — e que Deus poderia até mesmo lhes dar pão vindo do céu.

Quando Jesus proferiu as palavras de Deuteronômio 8.3, Satanás passou para outra tentação. Após mostrar a Jesus os reinos do mundo, ele disse a Cristo: "Eu lhe darei a glória destes reinos e autoridade sobre eles, pois são meus e posso dá-los a quem eu quiser. [...] Eu lhe darei tudo se me adorar". Jesus respondeu assim: "As Escrituras dizem: 'Adore o Senhor, seu Deus, e sirva somente a ele'" (Lc 4.6-8).

Dessa vez, Jesus citou Deuteronômio 6.13, uma advertência que Moisés havia dado aos israelitas, a fim de que não se esquecessem de Deus.

Depois disso, Satanás levou Jesus a Jerusalém, até o ponto mais alto do templo, e disse: "Se você é o Filho de Deus, salte daqui. Pois as Escrituras dizem: 'Ele ordenará a seus anjos que o protejam. Eles o sustentarão com as mãos, para que não machuque o pé em alguma pedra'". Eis a resposta de Jesus: "As Escrituras dizem: 'Não ponha à prova o Senhor, seu Deus'" (Lc 4.9-12).

Dessa vez, Satanás tentou Jesus citando o salmo 91, cuja autoria é atribuída a Moisés. No entanto, o inimigo omitiu os dois versículos anteriores, que são fundamentais para a compreensão da passagem: "Se você se refugiar no Senhor, se fizer do Altíssimo seu abrigo, nenhum mal o atingirá, nenhuma praga se aproximará de sua casa" (v. 9-10). Cristo se desviou dessa distorção maligna das Escrituras com outro ensino de Moisés: "Não ponham à prova o Senhor, seu Deus" (Dt 6.16).

O poder das Escrituras deu fim à série de tentações de Satanás. Assim, se você quer ter mais poder na vida de oração, faça o que Jesus fez e ore citando os textos de sua Palavra.

Sem cessar

As palavras de 1Tessalonicenses 5.17 são traduzidas da seguinte forma na versão Nova Almeida Atualizada: "Orem sem cessar". A Nova Versão Transformadora diz: "Nunca deixem de orar". A Nova Tradução na Linguagem de Hoje instrui: "Orem sempre".

Já entendemos! Devemos orar sempre, o tempo inteiro, sem cessar. Mas o que isso de fato significa? Quer dizer que devemos envolver Deus constantemente em todos os nossos momentos comuns, bem como em nossas confusões, alegrias, problemas e dores. Em tudo!

"Sem cessar" significa que é possível orar até mesmo dormindo? É sim! Ao deitar a cabeça no travesseiro à noite, diga: "Senhor, entrego a ti meus sonhos. Ore por meu intermédio como bem quiseres". Talvez você tenha aventuras de oração das quais nem se lembre no dia seguinte. Já aconteceu comigo. Certa vez, enquanto eu estava dormindo, o Senhor me fez orar por um tiroteio em uma escola antes que a tragédia acontecesse. Orei por pessoas que não conhecia, mas vi depois no jornal. As últimas palavras que ouvi antes de acordar foram: "Se você não tivesse orado, teria sido bem pior". Eu não saberia como orar por essas questões caso Deus não tivesse me impulsionado durante o sono.

Se você precisa de novas ideias a respeito de como orar sem cessar, leia novamente os métodos anteriores de oração e também a seção a seguir. Faça uma lista de ideias e coloque-a em um lugar visível.

De maneira espontânea

Pensei em ser espontânea e deixar esse tipo por último. Quero dividir com vocês a prática de minha amiga Julie Morris, que, além de orar com listas e em horários marcados, ama orar espontaneamente ao longo do dia. Ela compartilhou recentemente alguns exemplos dos tipos de orações espontâneas que costuma fazer:

- Orações PRN.
- Orações de passagem.
- Orações desencadeadas.
- Orações nível 2.

Orações PRN

Julie disse: "Na enfermagem, aprendi a abreviação *prn*, da expressão em latim *pro re nata*. Significa 'sempre que necessário'. Minhas orações PRN são curtas, enquanto estou na correria, pedindo ajuda sempre que necessário. Formam uma parte importante da minha vida de oração".[11]

Também faço orações espontâneas e amo fazer orações rápidas pedindo ajuda sempre que me sento ao computador para escrever. "Ajuda-me, Senhor! Que teu Espírito flua por meio de mim. Mostra-me o que queres que eu diga".

A escritora Anne Lamott também ama orações do tipo "Ajuda-me". Ela conta: "As orações por ajuda estão entre as mais poderosas que podemos fazer por nós próprios. Acho que, às vezes, não percebemos que o que estamos fazendo é uma forma de oração. 'Ajuda-me' é a oração principal. Trata-se de uma oração de entrega para ter condições de vencer em coisas que estão começando a mudar porque finalmente suas boas ideias acabaram. A oração pedindo ajuda é a mais difícil e também a mais pungente. É uma pessoa que se humilha".[12]

Tente orar agora:

Querido Senhor,
Ajuda-me! Ajuda-me a ______.
Em nome de Jesus, amém.

Além de fazer essa oração por você mesmo, também é possível fazê-la pelos outros:

Querido Senhor,
Ajuda ______.
Em nome de Jesus, amém.

Orações de passagem

Julie também faz orações de passagem. Ela explica: "Quando estou caminhando pelo shopping ou presa no trânsito, escolho alguns estranhos e oro por eles de passagem".[13]

Eu também amo orar pelas pessoas que vejo ao fazer minhas atividades diárias. Ao passar de carro por uma menina, posso orar: "Senhor, a garota na bicicleta amarela parecia triste hoje. Por favor, mostra-lhe que tu a amas. Permanece perto dela hoje".

Um dia, quando eu chegar ao céu, fico pensando se algumas das pessoas que eu conhecer ali saberão sobre minhas orações. Consigo imaginá-las dizendo: "Eu estava pensando em desistir, mas então, mesmo que não nos conhecêssemos, você orou por mim enquanto eu passava de bicicleta. Em resposta a sua oração, Deus me deu esperança e consegui continuar minha jornada".

Jamais saberemos, deste lado da eternidade, a diferença que nossas orações por desconhecidos podem fazer. Tente orar por todas as pessoas que lhe chamarem a atenção e, em especial, por aquelas que Deus colocar em seu coração.

Orações desencadeadas

O que são orações desencadeadas? Julie explicou: "Quando me distraio com um barulho, como um choro de bebê ou latido de cachorro, sou lembrada de orar pelos pais da criança chorando ou pelos donos do cachorro barulhento". E acrescentou: "O cachorro do meu vizinho late o tempo inteiro, então ele recebe muitas orações!".[14]

Que ideia incrível! Vou pegá-la emprestada toda vez que o cachorro do vizinho latir para mim ou pisar em meu jardim. As orações desencadeadas por algo são uma ótima maneira de não nos irritarmos e de orarmos por pessoas que precisam de nossas preces.

Orações nível 2

Creio que a formação profissional de Julie na área de enfermagem é responsável por essa definição das orações mais urgentes. Quando busquei "nível 2" no Google, descobri que, em casos de trauma hospitalar, o nível 2 representa um paciente gravemente ferido que ainda está vivo e respirando por conta própria. Em outras palavras, embora a situação seja crítica, ainda há sinais de vida.

Julie disse: "Quando ouço algo perturbador, como um noticiário na televisão, vou para o nível 2 a fim de obter a perspectiva celestial enquanto oro pela pessoa ou situação".[15]

Se Deus estava chamando você à intercessão, assistir ao jornal sem dúvida a levará a orações nível 2, como, por exemplo: "Ajuda as pessoas nos incêndios, Senhor! Envia teus anjos para ajudar a resgatar aqueles que ficaram presos. Auxilia os feridos e leva salvação para todas as vítimas do fogo".

~ Conselho de intercessão ~

Além de orar de maneira espontânea, Julie também aconselha que oremos com consistência, mesmo que apenas por alguns minutos por dia, e que anotemos nossas orações. Também nos orienta a orar com fervor. Ela instrui: "Caso lhe falte entusiasmo, ore com um parceiro de oração".[16] Por fim, Julie recomenda que oremos com fé, "não de que Deus fará nossa vontade, mas, sim, o melhor".[17]

Após desembainhar a espada, faremos uma oração fundamentada nas Escrituras que Julie criou para uma pessoa amada.

– Desembainhe sua espada –

A espada que desembainharemos aqui vem de Davi, em Salmos 63.7-8:

Pois tu és meu auxílio;
à sombra de tuas asas canto de alegria.
Minha alma se apega a ti;
tua forte mão direita me sustenta.

– Posicionadas em seus postos de oração –

Vamos orar, em concordância umas com as outras, por nossos amados, usando a oração de Julie Morris baseada em Salmos 63.7-8.

Querido Senhor,

Peço que ______ sempre se lembre de que tu és seu auxílio. Que essa seja a canção diária, o testemunho e a esperança de ______. Ajuda ______ a depender de ti para encontrar auxílio a fim de que não perca tempo, nem energia se preocupando com coisas impossíveis. Quando ______ não depender de ti, ajuda para que reconheça de imediato e se arrependa.

Ajuda ______ a cantar à tua sombra, isto é, a ser consistente no louvor a ti e em se alegrar em tua presença, contando aos outros o que fazes em sua vida. Que não se passe um dia sem que ______ se alegre pelo fato de que tu estás a seu lado, ajudando, guiando e enchendo de poder. Caso não esteja cantando, que reconheça agora mesmo e se arrependa.

Senhor, que a alma de ______ se apegue firmemente a ti. Quando der um passo de fé, que o faça com coragem e confiança, pois a tua destra lhe dá sustento.

Em nome de Jesus, amém.[18]

4

Oração por ruptura

> Mas, se vocês permanecerem em mim e minhas palavras permanecerem em vocês, pedirão o que quiserem, e isso lhes será concedido!
>
> João 15.7

Imagine que você está em uma trilha quando nota uma caverna no alto do caminho. Curiosa, decide escalar até a entrada e dar uma olhada. Você se agarra às pedras até encarar o buraco escuro. Tira uma lanterna da mochila e direciona sua claridade às trevas. Algo brilhante chama sua atenção. Você entra para analisar. Passa por pedras escorregadias enquanto continua a investigar a caverna com seu minúsculo facho de luz. O objeto resplandecente que chamou sua atenção sempre parece a mais um passo de distância. De repente, você escorrega! A lanterna se solta de sua mão e apaga. Você se vê envolta por total escuridão.

Tenta se levantar e se contorce de dor. Deve ter torcido o tornozelo. Que distância você andou ali dentro? Você se vira para trás a fim de refazer o caminho até a saída, agarrando-se a uma rocha. Bum! Escombros, poeira e pedaços de pedra a atingem. Você tosse e limpa os olhos. Uma pilha imensa de pedras agora bloqueia a saída. Você está presa, sozinha, no escuro. Alguém saberá que você está ali?

Se algum dia você se encontrar em tamanho apuro, eu diria que você é uma pessoa que necessita de uma ruptura. Uma luz. Uma corda de resgate. Um mapa que leve ao caminho de escape.

E se, nesse momento de desespero, você ouvir alguém chamar seu nome e uma mão puxá-la de volta para a luz? É exatamente isso que quero dizer com ruptura: é uma luz que manda embora as trevas; é um meio de escape.

Em Isaías 43.19, o Senhor diz: "Pois estou prestes a realizar algo novo. Vejam, já comecei! Não percebem? Abrirei um caminho no meio do deserto, farei rios na terra seca". Matthew Henry, em seu comentário bíblico, diz que essa passagem significa, em parte, "a redenção dos pecadores por Cristo" e a "obra maravilhosa de amor, a redenção do ser humano".[1]

Uma vez que Deus é capaz de produzir qualquer ruptura, devemos nos tornar pessoas que oram por ruptura para nós e pelos outros. Creio que precisamos nos tornar fábricas de oração individuais e coletivas. O autor Paul E. Miller afirmou: "Seu coração pode se tornar uma fábrica de oração porque, assim como Jesus, você é completamente dependente. Você necessitava de Deus há dez minutos e necessita dele agora. Em vez de buscar o estado espiritual perfeito para elevá-lo acima do caos, ore em meio ao caos. Enquanto seu coração ou as circunstâncias gerarem problemas, continue a produzir orações. Você perceberá que o caos se ameniza".[2]

Julie Morris me contou recentemente sobre uma ocasião em que ela passou por uma ruptura por meio da oração. Ela precisava tomar uma decisão extremamente difícil, então pediu a Deus que lhe dissesse alto e bom som o que fazer. Ela conta: "Uma vizinha 'calhou' de me emprestar um CD. Decidi escutar enquanto passava roupa. Enquanto ouvia, notei o quanto o som era claro. E então observei mais uma coisa: Charles Stanley estava falando exatamente sobre aquilo que eu precisava escolher. Deus o usou para me dizer de forma alta e clara o que eu devia fazer. Por isso, agora, toda vez que preciso tomar uma decisão ou quando estou intercedendo por alguém que necessita ouvir um direcionamento claro da parte de Deus, digo a Deus que ele precisa nos dizer 'alto e bom som'".[3]

Algumas pessoas podem desconsiderar a ruptura de Julie, tratando como mera coincidência, mas esse é o tipo de coincidência que acontece com quem ora. Por isso, esqueça as coincidências e creia que aquilo que aconteceu com Julie foi uma resposta direta à oração. São respostas assim que recebemos quando buscamos a face de Deus.

O apóstolo Pedro experimentou esse tipo de ruptura em uma noite tempestuosa no mar da Galileia, como lemos em Mateus 14.22-33. Era uma noite calma quando Pedro e os discípulos embarcaram em um pequeno barco de pesca, deixando Jesus para trás a fim de que ele pudesse passar algum tempo a sós em oração. O plano era que os discípulos encontrassem o Senhor no dia seguinte, quando Jesus iria até eles, presumivelmente por uma trilha à beira-mar até a cidade na qual haviam planejado parar o barco.

Naquela noite, porém, uma tempestade imprevista caiu e os homens enfrentaram o vento e as ondas sem Jesus. Enquanto combatiam o mar, um raio de luz iluminou algo curioso: a silhueta solitária de um homem que andava por sobre as ondas. Os discípulos ficaram aterrorizados, em parte porque moravam em uma região na qual havia lendas sobre pescadores perdidos. Seria possível estarem contemplando a aparição de um pescador havia muito desaparecido?

— É um fantasma! — exclamaram.

A silhueta gritou de volta:

— Não tenham medo! Sou eu!

Pedro reconheceu a voz do Mestre e falou:

— Se é realmente o senhor, ordene que eu vá até aí caminhando sobre as águas!

Jesus respondeu:

— Venha!

Pedro desceu do barco e, sem olhar para baixo, para as águas agitadas, colocou o pé em cima de uma onda e seguiu no caminho molhado até Jesus.

Não sei o que levou Pedro a mudar o olhar: o mar cheio de ondas, a chuva batendo no rosto ou a pura surpresa de estar andando sobre as águas. Independentemente da causa, assim que ele olhou para longe da face de Jesus, afundou e entrou na tempestade.

— Ajuda-me, Jesus! — gritou.

Cristo estendeu a mão e tirou Pedro do abismo marítimo. Então Pedro ficou de pé à sua frente, face a face.

— Como é pequena a sua fé! Por que você duvidou? — Jesus perguntou, enquanto caminhavam de braços dados rumo ao barco.

Quando entraram na embarcação, a tempestade cessou e, naquele instante, os discípulos tiveram seu momento de ruptura. Entenderam, sem qualquer hesitação, quem era Jesus. Jesus era o Filho de Deus.

Quando ficar claro para nós quem é Jesus, quando aprendermos a nos concentrar nele durante nossas tempestades, também seremos capazes de atravessar as tormentas pessoais em paz e na presença de Cristo.

Quando precisamos de ruptura

Quando necessitamos alcançar uma ruptura, podemos aprender uma lição com Pedro. Podemos:

- Ter fé.
- Focar Jesus.
- Andar na direção certa.

Ter fé

Sabemos, com base em Efésios 2.8, que a graça vem por meio da fé e a fé é um dom de Deus para nós, não algo que alcançamos pelos próprios esforços. Conforme afirmou Max Lucado: "A fé não nasce em uma mesa de negociação na qual entregamos nossos dons a fim de receber a bondade de Deus. A fé não é uma recompensa para os mais instruídos. Não é um prêmio concedido aos mais disciplinados. Não é um título outorgado aos mais religiosos. A fé é um mergulho desesperado a fim de escapar do barco prestes a afundar do esforço humano, e uma oração pedindo que Deus esteja lá para nos tirar de dentro da água".[4]

Pedro se viu debaixo das ondas de uma tempestade assoladora porque Jesus o havia chamado para ir e Pedro atendeu ao convite. Quando sabemos que temos o chamado de Jesus para ir até ele e servi-lo, então podemos prosseguir em fé.

O mesmo é verdade no que diz respeito à oração. Ao crermos que Deus está nos chamando para orar, podemos acreditar que ele ouvirá nossas orações e dará resposta. Podemos até ser arremessadas de um lado para o outro pelas tempestades da vida, mas, com Jesus, temos condições de vencer. Quando nos apegamos a Cristo, ele nos ajuda a nos erguer acima das dúvidas, dos medos e até mesmo dos problemas. Quando sentimos que estamos afundando, tudo que temos a fazer é invocar seu nome e ele nos erguerá a fim de continuarmos nossa jornada de oração com ele.

Focar Jesus

Assim que Pedro tirou os olhos de Jesus, foi tragado pelo próprio temor e começou a afundar. Uma das maiores barreiras para a ruptura é o medo. Quanto mais focamos o que tememos, mais difícil se torna confiar em Deus. Sem confiança, não dá para ter fé. Sem fé, nossas orações são ineficazes.

Charles Stanley afirmou: "O foco de nossa vida deve ser colocado em Deus a fim de derrotar o medo. Até mesmo tirar os olhos dele pode nos mandar embora tremendo de medo, esquecidos do poder daquele que nos ama por completo".[5]

Certa vez, quando estava a mais de quatro mil metros de altitude, fazendo a trilha para alcançar o pico de uma montanha do Colorado, fiquei tão impressionada com o quanto o caminho era íngreme que comecei a imaginar como seria cair rolando montanha abaixo. Deixei o medo me paralisar. Só consegui prosseguir quando parei de me imaginar caindo e comecei a me visualizar dando o próximo passo na trilha. Foi então que o passo seguinte se tornou realidade. Dei um passo à frente, depois outro, até retomar a confiança e continuar a jornada ao cume. Enquanto me concentrei na queda, não consegui me focar em alcançar o pico da montanha.

O mesmo se aplica à vida. Quando nos focamos em tudo que pode dar errado, aquilo que tememos de fato acontece. Quando nos concentramos na confiança em Jesus em meio às circunstâncias, podemos orar em nosso caminho de bênçãos e andar em meio a milagres.

Stanley escreveu a seguinte oração, que demonstra a solução para o medo: "Senhor, levanta meus olhos para que eu possa ver a ti, minha Rocha, meu chão seguro, quando águas turbulentas me puxarem para baixo e eu sentir medo".[6] Podemos pisar em chão firme mesmo sobre águas turbulentas, trilhas montanhosas íngremes e em qualquer crise que nos colocar de joelhos enquanto continuamos a buscar a face de Jesus.

Stanley nos lembra: "Ao colocar o foco no Senhor, demonstramos onde repousa nossa fé — somente em Deus, cujo amor incondicional nos dá a confiança necessária para nos libertar do medo".[7]

Andar na direção certa

Assim como Pedro andou na direção certa, Frederick Douglass fugiu da escravidão para a liberdade em 1838. Como homem livre, tornou-se um respeitado escritor, reformador e pastor. Douglass declarou: "Orei por liberdade ao longo de vinte anos, mas só recebi resposta depois que comecei a orar com as pernas".[8]

Não me entenda mal! Douglass não estava sugerindo que nos tornemos Deus e tentemos responder às orações por conta própria. No entanto, chega um momento em que, assim como Pedro, precisamos sair do barco para seguir o chamado de Deus. E foi isso que Douglass fez. Ele ouviu o chamado de Deus e isso o levou a crer que a liberdade era possível. Então, certo dia, fugiu da escravidão pulando para dentro de um trem e depois caminhando por mais de trinta quilômetros até a liberdade. Depois de muita oração, Douglass fez o que Deus o chamou para fazer em seguida. Ele foi dirigido por Deus para dar todos os passos certos. Caso contrário, sua oração por liberdade talvez ainda não tivesse recebido resposta.

Com frequência, Deus nos chama para segui-lo, dando um passo de fé, a fim de fazer aquilo que está a nossa frente. Creio que entendo esse princípio de "orar com as pernas". Quando senti Deus me chamando para escrever, eu orei e depois dei os passos necessários para me tornar uma autora publicada. Primeiro, aprendi o ofício de escrever participando de cursos para escritores. Em seguida, mandei uma proposta para editoras. Até que chegou o dia em que assinei o primeiro contrato. Finalmente, escrevi o livro e entreguei o manuscrito para a editora, que logo o imprimiu. Só porque eu fui chamada para escrever não significa que, de repente, eu acordei certa manhã com um livro publicado debaixo do travesseiro. Precisei trilhar uma jornada, um passo de cada vez, antes de segurar minha primeira obra publicada em mãos.

Antes, porém, de dar um passo de fé, necessitamos nos aproximar mais de Deus, para ter condições de permanecer no caminho certo. Max Lucado explica da seguinte maneira: "Com passos preciosos e vacilantes, nós nos aproximamos dele. Por um período de força surpreendente, firmamo-nos sobre suas promessas".[9]

Senti confiança de iniciar o processo de escrita porque ouvi o chamado de Deus. Isso me deu confiança para dar um passo novo após o outro. E, muito embora Deus jamais tenha me enviado um manual de instruções sobre como publicar um livro, continuei a seguir suas orientações. Quando sentia sua paz, eu fazia a próxima coisa que estava a meu alcance. Hoje, 33 livros depois, continuo a seguir esse processo.

Ao pensar em todos os desafios que enfrentei desde que comecei a jornada de escrita, sobretudo os desafios do acidente de carro que paralisou minha filha e, por fim, a tirou de meus braços, eu diria que é um milagre você estar lendo este livro. E é isso mesmo que eu quero dizer. Não dá para responder ao chamados de Deus para nós por meio de esforços e poder humanos. Precisamos aliar nossos esforços ao poder sobrenatural do Senhor, começando com a oração. Quando o fizermos, a superação acontecerá.

Precisamos continuar a nos focar em Jesus enquanto oramos, mesmo quando as nuvens estiverem cada vez mais escuras. Então, assim como Pedro, nós nos moveremos na direção certa, pisaremos por sobre a rebentação e superaremos o que for preciso.

Jejum

Há mais uma coisa que podemos fazer quando necessitamos de ruptura espiritual: jejum. Neemias, copeiro do rei Artaxerxes, jejuou após ficar sabendo que os muros de sua amada Jerusalém haviam sido derrubados e queimados. Ele escreveu: "Quando ouvi isso, sentei-me e chorei. Durante alguns dias, lamentei, jejuei e orei ao Deus dos céus" (Ne 1.4). As orações de Neemias foram atendidas e ele pôde liderar uma delegação até Jerusalém. Com a unção de Deus, reconstruiu o muro em 52 dias.

As Escrituras mostram, com frequência, que o jejum é um caminho para a atenção, o favor e a paz de Deus. Charles Stanley disse: "Quando chegamos ao fundo do poço do desânimo, desespero, confusão e desesperança, comparecer perante o Senhor com oração e jejum pode trazer paz, clareza e direcionamento para nossa situação".[10]

O que exatamente é jejuar? Stanley explica: "No contexto bíblico, jejuar significa se abster de alimento por determinado período. Jejuar não é 'passar fome' por alguns dias, mas se abster com o propósito de concentrar a atenção em Deus e naquilo que ele tem a lhe dizer".[11]

Você se lembra da ocasião em que os discípulos não conseguiram expulsar os demônios que faziam o menino se jogar no fogo? Depois de curar o garoto, Jesus disse aos discípulos: "essa espécie não sai senão com oração e jejum" (Mt 17.21).

Se você necessita de ruptura, pense em jejuar e orar. Mark Batterson disse: "Há momentos em que fazer um círculo de oração em torno de algo não basta. Precisamos reforçar o círculo com jejum e oração. [...] Da mesma maneira que abrimos um cadeado duplo com combinação, necessitamos tanto orar quanto jejuar para destravar o milagre. E a combinação dessas disciplinas espirituais não soma; em vez disso, multiplica sua eficácia. Jejuar nos leva mais longe na presença de Deus do que a oração, e nos leva mais longe mais rápido. Ainda é necessário ter paciência e perseverança, mas o jejum é uma forma de colocar nossa vida de oração na pista rápida, como uma câmara [hiperbárica] que acelera a cura ou um *hyperlink* que nos leva a outro lugar com um clique. Jejum é uma hiper-oração".[12]

Conforme minha amiga Rebekah Montgomery destacou certa vez, em várias ocasiões Deus colocou grandes personagens bíblicos em jejum. Por exemplo, João Batista comia somente mel e gafanhotos. Sansão era nazireu e isso envolvia uma alimentação abstêmia de uva e de todos os seus derivados, incluindo vinho, vinagre e passas. Daniel e seus amigos comeram apenas verduras e água, abstendo-se de carne, vinho e outros alimentos fortes. Outros personagens bíblicos que jejuaram incluem Jesus, Ester, Moisés, Davi, Elias, Esdras, o rei Dario e o apóstolo Paulo. Trata-se de uma lista impressionante de guerreiros de oração cheios de preces respondidas. Não há como deixar de prestar atenção! Pessoalmente, não gosto de pular refeições, mas, quando sinto que minhas orações não passam do teto e não consigo alcançar o nível de ruptura de que necessito, participo de algum tipo de jejum.

Há algumas coisas, contudo, que precisamos saber a respeito do jejum. Em primeiro lugar, ele vem com uma advertência encontrada em Mateus 6.16, que diz: "Quando jejuarem, não façam como os hipócritas, que se esforçam para parecer tristes e desarrumados a fim de que as pessoas percebam que estão jejuando. Eu lhes digo a verdade: eles não receberão outra recompensa além dessa".

Em segundo lugar, há tipos diferentes de jejum. Não aconselho um jejum somente com mel e gafanhotos, mas você pode fazer as modalidades a seguir:

- Um jejum de Daniel, com frutas, verduras, legumes e água.
- Abstenção de uma refeição uma vez por dia, uma vez por mês ou por vários dias seguidos.
- Abstenção de cafeína, de açúcar ou de todos os derivados da uva.
- Uma dieta à base de líquidos, o que significa abrir mão de quaisquer alimentos, com exceção de líquidos, tais como água, suco e vitaminas.
- Jejum das redes sociais ou da televisão.

Se você se interessou em saber mais sobre jejum, consulte um material de apoio sobre o assunto, como livros ou sites confiáveis que ofereçam um guia prático para aprender como jejuar de forma segura e eficaz.

– Conselho de intercessão –

Um dos melhores conselhos de oração por ruptura de Carol Graham é ouvir. Aliás, ela conta que ouve mais do que ora. Às vezes, não ouvimos as instruções divinas com os ouvidos, mas com o coração. Descobrimos quais são suas orientações ao seguir a paz que excede todo entendimento ou ao perceber que um fardo caiu sobre nós ou saiu de nossos ombros. Carol também nos lembra de que orar não é algo complicado, mas bem simples. E explica: "Só é preciso ter fé. Caso contrário, eu não perderia tempo, pois minhas orações não chegariam a lugar algum".

Peça o que precisa, depois observe e ouça a resposta divina.

– Desembainhe sua espada –

Vamos nos preparar para orar selecionando primeiro nossa espada.

> Existe alguma coisa difícil demais para o SENHOR?
>
> Gênesis 18.14

> Pois ele o livrará das armadilhas da vida
> e o protegerá de doenças mortais.
> Ele o cobrirá com as suas penas
> e o abrigará sob as suas asas;
> a sua fidelidade é armadura e proteção.
>
> Salmos 91.3-4

> Mas, se vocês permanecerem em mim e minhas palavras permanecerem em vocês, pedirão o que quiserem, e isso lhes será concedido!
>
> João 15.7

Vocês não me escolheram; eu os escolhi. Eu os chamei para irem e produzirem frutos duradouros, para que o Pai lhes dê tudo que pedirem em meu nome.

João 15.16

– Posicionadas em seus postos de oração –

Querido Senhor,

Nada é difícil demais para ti. Tu me resgatas de todas as armadilhas e proteges a mim e aos membros de minha família de doenças mortais. Tu me cobres com tuas penas e me abrigas com tuas asas. Tuas promessas fiéis são minha armadura e proteção. Eu permanecerei em ti e tuas palavras permanecerão em mim. Portanto, posso pedir qualquer coisa que me será concedido! E isso porque não fui eu que o escolhi, mas tu me escolheste. Tu me chamaste para produzir frutos duradouros, a fim de que o Pai me dê tudo que eu pedir em teu nome. Por isso, eu te agradeço por seres meu Deus de ruptura nas causas impossíveis. Peço ruptura em relação a ______. Também rogo por aquelas neste grupo de oração que estão buscando rupturas. Guia-nos, instrui-nos e mostra-nos teu caminho.

Em nome de Jesus, amém.

5
Oração para quebrar fortalezas

Pois o SENHOR, seu Deus, está em seu meio;
ele é um Salvador poderoso.
Ele se agradará de vocês com exultação
e acalmará todos os seus medos com amor;
ele se alegrará em vocês com gritos de alegria!
SOFONIAS 3.17

Certo homem estava semeando grama no novo jardim, quando acabaram as sementes. Então pediu ao filho adolescente que fosse à loja comprar mais. O filho voltou com um pacote de uma variedade completamente diferente, o homem não percebeu e misturou a nova semente com a original por todo o jardim. O resultado? Seu gramado ficou cheio de cores, formas, variedades e densidades diferentes de grama salpicando todo o espaço.

"O que eu fui fazer?", lamentou. "A semente indesejada está brotando mais depressa do que aquela que eu havia escolhido. Está sufocando a vida do gramado que tentei plantar."[1] Ops! Plantar a semente errada pode causar uma multidão de problemas. Pode acabar produzindo uma colheita daquilo que você não quer ou não necessita.

Imagine que você achava que estava plantando um pomar de macieiras, sonhando com todas as tortas de maçã que prepararia, mas após anos cultivando as árvores descobre que eram todas da variedade ornamental de macieira silvestre, que não produz frutos. Ops! Nenhuma proporção de farinha, açúcar ou manteiga seria capaz de consertar esse caso de identidade equivocada.

Ou digamos que você plantou abobrinha na horta, mas, sem saber, seu composto orgânico continha sementes de origem desconhecida. Algumas semanas depois, ao observar as plantas rasteiras se espalhando pela horta, você se pergunta por que tantas de suas abobrinhas eram tão redondas. Ficou surpresa ao perceber que as abobrinhas ganharam cor alaranjada e cresceram, tornando-se abóboras. Ops! Pelo menos ainda é comestível, mas é algo bem diferente do que você havia planejado.

Pior ainda, imagine que você é uma lavradora que plantou boas sementes de trigo, mas um inimigo se infiltrou no campo à noite e misturou algumas sementes de joio, um tipo de ervas daninhas. Ops!

Jesus contou essa história em forma de parábola (Mt 13.24-30). Disse que os servos do lavrador o procuraram em busca de uma solução.

— Devemos arrancar o joio?

E qual foi a resposta do lavrador à pergunta dos servos?

— Não, pois vocês podem tirar o joio e arrancar também o trigo. Deixem os dois crescerem juntos até a colheita. Então, os ceifeiros poderão separar o joio, amarrar em feixes e queimar, e assim poderão guardar o trigo no celeiro.

Essas histórias me fazem voltar a olhar para o que eu estou plantando em minha vida. Há momentos em que planto as sementes erradas no coração e permito que mágoas, pensamentos errados, amargura e até o pecado criem raízes, sem me dar conta da colheita indesejada resultante. Em outras ocasiões, eu achava que estava plantando o bem, mas permiti que coisas ruins criassem raízes, sem bons resultados. E há ocasiões em que o próprio inimigo semeia dúvida e falta de fidelidade em meio a minhas sementes de fé, esperança e amor. A colheita resultante foi inesperada, pois eu não tinha me dado conta de que o inimigo havia invadido minha horta e logo descobri que o joio do inimigo é difícil de arrancar.

Talvez você se identifique. Ao olhar para a plantação em seu coração, talvez perceba que sementes indesejadas, ou fortalezas, fincaram raízes. Não é a seara que você havia planejado ou tinha a intenção de plantar, e agora você não sabe o que fazer para consertar a plantação. Em Gálatas 6.7-8, o apóstolo Paulo fala sobre esse problema. Ele afirma: "Não se deixem enganar: ninguém pode zombar de Deus. A pessoa sempre colherá aquilo que semear. Quem vive apenas para satisfazer sua natureza humana colherá dessa natureza ruína e morte. Mas quem vive para agradar o Espírito colherá do Espírito a vida eterna".

Uma fortaleza se forma quando as sementes lançadas pelo inimigo — de ira, autocomiseração, mentalidade de escassez, mentira, vergonha, depressão, angústia, confusão, vício, luxúria, preguiça e orgulho — resultam em uma colheita de pecado, ineficácia, dificuldades infinitas, fracassos e até mesmo fadiga, dor e doença.

Algumas dessas fortalezas são plantadas por nós mesmos, por meio de ignorância, amargura, ódio, mágoa ou confusão. Outras fincam raízes mediante a obra do inimigo, que semeia traumas, dificuldades, sofrimento e males cometidos contra nós em nossa vida.

Como quer que elas tenham chegado até nós, podemos usar a oração para arrancá-las do coração. Aliás, a oração pode funcionar como uma espécie de herbicida espiritual para envenenar até as raízes dessas fortalezas. Embora eu não seja grande fã de herbicidas, gosto de uma propaganda animada que mostra um borrifador passando pelas flores e arrancando as raízes de ervas daninhas malvadas. Quando se trata de meu coração, é exatamente isso que quero fazer. Desejo proteger as flores e matar as ervas daninhas.

Outra forma de descrever fortalezas é compará-las a muros que precisam ser derrubados. Quando há muros de fortalezas construídos em nosso coração, criamos um lugar dentro do qual o inimigo pode se esconder para nos atacar no momento em que sentir vontade.

A cidade de Jericó era uma fortaleza inimiga com muros atrás dos quais os inimigos podiam se esconder, iniciar ataques e se retirar em segurança. Deus não queria essa fortaleza na terra de seus filhos. Por isso, chamou Josué para marchar com o exército israelita ao redor das muralhas de Jericó por sete dias. Sete sacerdotes, cada um com um chifre de carneiro, abriram o desfile. O exército israelita marchava em silêncio atrás dos sacerdotes. Ao longo de seis dias, os sacerdotes e o exército rodearam a cidade. No sétimo dia, após sete voltas, os sacerdotes tocaram os chifres de carneiro e os homens de Israel deram um forte brado. Isso bastou. Os muros da cidade desabaram (Js 6).

Sete fortalezas

Nós também podemos vencer porque Deus é maior do que qualquer fortaleza.

Max Lucado escreveu em *Enfrente seus gigantes*: "Você não adoraria que Deus escrevesse *porém* em sua biografia? Filho de alcóolatras, *porém* viveu sóbrio. Jamais fez faculdade, *porém* dominava um ofício. Nunca leu a Bíblia até se aposentar, *porém* desenvolveu fé profunda e plena".[2]

A palavra de Deus ecoa esses poréns. Lutamos contra as fortalezas do inimigo, porém temos o poder de Deus para demoli-las. Conforme explica 2Coríntios 10.3-6:

> Embora sejamos humanos, não lutamos conforme os padrões humanos. Usamos as armas poderosas de Deus, e não as armas do mundo, para derrubar as fortalezas do raciocínio humano e acabar com os falsos argumentos. Destruímos todas as opiniões arrogantes que impedem as pessoas de conhecer a Deus. Levamos cativo todo pensamento rebelde e o ensinamos a obedecer a Cristo. E, depois que vocês se tornarem inteiramente obedientes, estaremos prontos para punir todos que insistirem em desobedecer.

A melhor maneira de derrubar qualquer fortaleza é por meio da oração. Assim como os sete sacerdotes que tocaram o chifre de carneiro, nós derrubaremos as seguintes fortalezas com a ajuda de Deus:

- Fortaleza do pecado.
- Fortaleza da escravidão.
- Fortaleza das perspectivas erradas.
- Fortaleza das influências malignas.
- Fortaleza de vínculos com almas incrédulas.
- Fortaleza de concordância com o inimigo.
- Fortaleza da mágoa.

Fortaleza do pecado

Para derrubar a fortaleza do pecado, precisamos fazer uma oração de arrependimento.

O evangelista Billy Graham explicou: "O arrependimento acontece pela fé, na crença de que Deus perdoará. Arrepender-se é reconhecer seu pecado e, pela fé, aceitar o perdão de Cristo, mudando de ideia a respeito de quem Jesus é e do que ele fez por você. Então, afastar-se do pecado e prosseguir na direção da cruz".[3]

Sabemos, com base nas Escrituras, que Jesus, o Filho de Deus, veio se colocar em nosso lugar, suportar o castigo de nosso pecado na cruz. E o fez porque nos ama. Graham declarou: "Quando lemos o relato da crucificação, é fácil perder de vista a glória da cruz por causa de sua vergonha — vergonha pelo pecado humano que pregou Jesus à cruz. A cruz representa o amor sofredor de Deus, que suporta a culpa do pecado da humanidade. É o único sentimento capaz de derreter o coração do pecador e conduzi-lo ao arrependimento para salvação. Essa é a glória da cruz".[4] Graham explicou que, quando você se volta para a cruz, Jesus "lhe dá poder para crer que ele o purificará do pecado e lhe dará um novo coração, uma mente renovada e a vontade de segui-lo até seu reino".[5]

Quando fazemos uma oração de arrependimento, Jesus pode nos dar um coração novo, liberto da fortaleza do pecado, a fim de o seguirmos até seu reino.

Querido Senhor,

Eu me arrependo de meus pecados. Embora não possa me arrepender pelos pecados de outros, peço-te que dês poder a ______ *para abrir os olhos para tua verdade, a fim de que se arrependa dos próprios pecados também. Ajuda-nos a crer que Jesus morreu na cruz por nossos pecados de uma vez por todas. Cria um novo coração dentro de nós. Renova nossa mente e ensina-nos a te seguir em todos os caminhos.*

Juntas pedimos que quebres a fortaleza do pecado em nossa vida, nos membros de nosso grupo de oração e em nossos amados, em nome de Jesus! Por favor, cura todo mal e toda dor que nosso pecado tem causado em nossa vida e na vida daqueles a quem fizemos mal.

Em nome de Jesus e pelo poder de seu sangue, amém.

Fortaleza da escravidão

A fortaleza da escravidão nos coloca sob o controle do inimigo porque permite que Satanás controle nossa mente com amargura, falta de perdão e ira.

Bem, Linda, você não faz ideia do que já enfrentei!

E você tem razão, sem sombra de dúvida. Mas eu sei que Jesus quer que você se liberte do controle do inimigo. Caso contrário, Satanás usará essa fortaleza para mantê-la em cativeiro e criar uma barreira entre você e Deus. Independentemente do que tenha acontecido em seu passado, Jesus tornou possível que você tenha liberdade e se encha de atitudes do Espírito Santo, tais como paz, alegria e paciência. Há vinte anos, enquanto eu estava no Texas para dar uma palestra, visitei uma mulher que havia sofrido abuso. Rosa me pediu que orasse por ela, não por causa do abuso sofrido no passado, mas por suas fortes dores nas costas. Enquanto segurava a mão de Rosa e orava, o Espírito me mostrou silenciosamente que aquela dor nas costas estava ligada a uma raiz de amargura. Entendi seu modo de pensar. Ela não merecia o abuso que havia recebido do homem a quem amava. De fato, não era justo. Eu jamais sugeriria que ela voltasse ao abusador não arrependido para sofrer abuso mais uma vez, mas sabia que Jesus queria libertá-la tanto da amargura quanto das dores nas costas.

Disse a ela:

— Deus deseja curar você. Mas, primeiro, quer que você entregue a ele a amargura que ainda sente no coração por seu ex-marido.

Rosa ficou chocada. Afinal, ela nutria aqueles sentimentos amargos havia muito tempo. Haviam se tornado parte de sua perspectiva de vida, uma perspectiva da qual seria difícil abrir mão. Tranquilamente, porém, ela o fez.

— Senhor, eu te entrego a amargura que sinto por Joe. Por favor, liberta-me da amargura.

Naquele momento, Rosa foi liberta tanto da amargura quanto da dor nas costas. Mais tarde ela me contou:

— Eu não conseguia acreditar! Deus queria me libertar da amargura, que era a causa de minha dor nas costas. Após nossa oração, a dor foi embora e nunca mais voltou.[6]

Se está faltando alguma parte do fruto do Espírito em sua vida, seria possível você estar parcialmente sob a influência do inimigo, em vez de estar sob o fruto do Espírito? Gálatas 5.22-23 diz: "Mas o Espírito produz este fruto: amor, alegria, paz, paciência, amabilidade, bondade, fidelidade, mansidão e domínio próprio. Não há lei contra essas coisas!".

Caso você deseje se libertar da fortaleza de escravidão do inimigo a fim de poder se colocar sob o controle do Espírito Santo, por favor, ore comigo e com nosso grupo de oração para mover montanhas.

Querido Senhor,

Escolho me arrepender de minhas atitudes negativas de amargura, ódio, egocentrismo, mau humor, falta de perdão, impaciência, inveja e raiva. Embora não possa entregar a ti as atitudes ruins dos outros, peço-te que dês poder a ______ a fim de que abra os olhos para tua verdade e se arrependa das próprias atitudes negativas. Dá-nos poder para ficar livres de modo a perdoar e permanecer em paz.

Escolho me colocar sob o poder e a influência do Espírito Santo. Escolho as atitudes de amor, alegria, paz, paciência, gentileza, bondade, fidelidade, mansidão e domínio próprio que o Espírito Santo me capacita a desenvolver. Ajuda nosso grupo de oração e nossos amados a se renderem ao poder e à influência do Espírito Santo em cada atitude. Revela-nos que o inimigo não pode nos escravizar quando temos a atitude de Cristo. Ajuda-nos a viver na atitude de Cristo e por meio dela, mediante o poder do Espírito Santo.

Em conjunto oramos para que derrubes a fortaleza de escravidão de nossa vida, dos membros de nosso grupo e de nossos amados, em nome de Jesus. Por favor, cura todo mal e toda dor que essa fortaleza tem causado em nossa vida e na vida de nossos amados.

Em nome de Jesus e pelo poder de seu sangue, amém.

Fortaleza das perspectivas erradas

Quando Deus derruba a fortaleza das perspectivas erradas em nossa vida, conseguimos confiar melhor nele e ver as coisas de sua perspectiva, não da nossa, que pode ser afetada por rancor, ciúme, inveja, dúvida, medo e frustração.

José venceu essa fortaleza apesar de estar com o coração partido após ser traído pelos irmãos. A prova transparece quando ele revela sua identidade aos irmãos, dizendo: "Vocês pretendiam me fazer o mal, mas Deus planejou tudo para o bem. Colocou-me neste cargo para que eu pudesse salvar a vida de muitos" (Gn 50.20). Essa conclusão que derruba fortalezas é semelhante à lição encontrada em Romanos 8.28, que diz: "E sabemos que Deus faz todas as coisas cooperarem para o bem daqueles que o amam e que são chamados de acordo com seu propósito".

Nosso Deus é digno de confiança. Ele jamais nos fará tropeçar, nem nos empurrará para baixo. Deseja o que é melhor para nós. Quer nos encher com seu Espírito, para que possamos enfrentar as provações deste mundo em seu poder. Se verdadeiramente confiamos em Deus, podemos deixar de lado o rancor, o ciúme, a inveja, a dúvida, o medo e a frustração para andar em paz com o Senhor. Seremos capazes de confiar em sua verdade e derrotar o espírito de cegueira que o inimigo deseja que demonstremos.

Quebrar essa fortaleza nos dará a oportunidade de desenvolver foco. Em vez de vigiar os outros para conseguir o que queremos, vigiaremos o próprio coração e, enquanto o fazemos, Deus substituirá as mentiras do inimigo por sua verdade. Quebrar a fortaleza das perspectivas erradas é uma escolha consciente. Quando começamos a enxergar nossa vida com base na perspectiva divina, podemos mudar de nossos antigos caminhos para o caminho dirigido pelo Espírito de Deus.

Chegou a hora de orarmos em concordância para quebrar a fortaleza das perspectivas erradas em nossa vida e na vida de nossos amados.

Querido Senhor,

Eu me arrependo pessoalmente de acreditar nas perspectivas erradas do inimigo, baseadas em rancor, ciúme, inveja, dúvida, medo e frustração. Embora eu não possa me arrepender das perspectivas erradas de outros, peço-te que dês poder a ______ a fim de que fique livre de suas próprias perspectivas erradas. Ajuda-nos a nos arrepender dessas mentalidades e entregá-las a ti, Senhor. Eu escolho confiar em ti e peço-te que ajudes a mim, nosso grupo de oração e nossos amados a transbordar de teu Espírito Santo em todas as áreas da vida. Remove a cegueira que o inimigo quer colocar sobre nós e substitui-a por tua verdade e perspectiva.

Juntas oramos para que quebres a fortaleza das perspectivas erradas em nós, nos membros de nosso grupo e em nossos amados, em nome de Jesus. Por favor, cura todo mal e dor que essa fortaleza já causou em nossa vida e na vida das pessoas que amamos.

Em nome de Jesus e pelo poder de seu sangue, amém.

Fortaleza das influências malignas

Outra fortaleza comum que podemos derrubar pela oração é a fortaleza das influências malignas. Por meio de Cristo, podemos nos libertar de influências negativas do inimigo, como programas de televisão, jogos, livros, músicas e filmes sombrios. Se não o fizermos, permitimos que as trevas se infiltrem em nossa mente, nosso coração e nossos pensamentos e permaneceremos cativos. Outras influências sombrias que podem fazer parte dessa fortaleza incluem drogas e álcool, vícios, pensamentos suicidas, depressão, escolhas e relacionamentos errados, relações sexuais ilícitas, dentre outras. Tais influências do inimigo têm poder para nos amarrar como um elefante a uma estaca.

Imagine um elefante de quase seis toneladas, preso por uma frágil corda amarrada a uma pequenina estaca fincada no chão. Pense no quanto seria fácil para o elefante se livrar dessa amarra. Mas ele não se liberta porque se lembra de sua época de filhotinho, quando era fraco demais para se soltar do mesmo laço.

Talvez o mesmo se aplique a nós. Pode até ser que não pesemos seis toneladas, mas, por meio de Cristo, temos poder para romper cada amarra que o inimigo tenta colocar sobre nós. Só não sabemos disso ainda. Bem, até agora. Isso foi antes de termos conhecimento de que somos capazes de demolir essa fortaleza sobre nossa vida. Vamos derrubá-la a fim de que sejamos livres em Cristo.

Querido Senhor,

Eu escolho me arrepender de minha conexão com influências malignas, incluindo programas de televisão, jogos, livros, músicas, filmes e mais. Também me arrependo de permitir a influência de drogas e álcool, vícios, pensamentos suicidas, depressão, escolhas e relacionamentos errados, relações sexuais ilícitas, entre outras coisas. Embora eu não possa me arrepender das influências malignas que outros permitiram na própria vida, peço-te que dês poder a ______ *a fim de que abra os olhos para tua verdade e fique livre dessas conexões e influências sombrias em sua vida. Substitui essa fortaleza por meios de comunicação espirituais, tua Palavra, comunhão com outros cristãos, relacionamentos corretos, tua alegria e paz.*

Juntas oramos para que derrubes as influências malignas em nós, nos membros de nosso grupo e em nossos amados, em nome de Jesus. Por favor, cura todo mal e dor que essa fortaleza já causou em nossa vida e na vida das pessoas a quem amamos.

Em nome de Jesus e pelo poder de seu sangue, amém.

Fortaleza de vínculos com almas incrédulas

Não é preciso ir além da amizade entre Davi e Jônatas para entender o que é um vínculo de alma. Em 1Samuel 18.1 lemos: "Depois que Davi terminou de falar com Saul, formou-se de imediato um forte laço de amizade entre ele e Jônatas, filho do rei, por causa do amor que Jônatas tinha por Davi".

Embora muitos vínculos de alma sejam piedosos, alguns conectam pessoas às trevas. Por exemplo, 1Coríntios 6.16 nos lembra: "E vocês não sabem que se um homem se une a uma prostituta ele se torna um corpo com ela? Pois as Escrituras dizem: 'Os dois se tornam um só'".

O rei Herodes tinha um vínculo de alma maligno com sua enteada Salomé, a filha de sua esposa Herodias. Esse vínculo se formou durante a festa de aniversário de Herodes. Em certo momento da noite, o rei Herodes convidou Salomé para dançar em sua presença. Tanto se agradou da apresentação que ofereceu a Salomé até metade do reino. Depois de conversar com a mãe, a moça pediu ao rei a cabeça de João Batista. Herodes lamentou conceder o desejo de Salomé, mas havia entrado em um vínculo de alma maligno com ela por meio da dança erótica e do juramento que fez em seguida.

O rei Herodes mandou decapitar João Batista e serviu a cabeça para a jovem em uma bandeja de prata, um triste fim para a vida daquele que anunciou a chegada do Messias (Mc 6.21-28).

Precisamos vigiar para não criar vínculos com almas incrédulas, porque esses vínculos tendem a nos conduzir às trevas, à destruição e a um final infeliz. Caso nos encontremos em uma situação de vínculo com uma alma incrédula, podemos removê-lo por meio de uma oração semelhante a esta:

Querido Senhor,

Eu me arrependo pessoalmente dos vínculos com almas incrédulas. Embora eu não possa me arrepender pelos vínculos com almas incrédulas de outros, peço-te que dês poder a ______ a fim de que abra os olhos para tua verdade e fique livre dos vínculos com almas incrédulas que podem ter se formado por meio de encontros alheios a tua vontade, que incluem amizades profanas, acordos contratuais, conexões eróticas ou sexuais, entre outras situações. Por favor, substitui essa fortaleza por vínculos de alma piedosos, incluindo amizades com influência espiritual e relacionamentos que honrem a ti. Substitui os vínculos incrédulos por elos piedosos em todos os nossos relacionamentos, para que fiquemos livres.

Juntas oramos para que derrubes os vínculos com almas incrédulas em nós, nos membros de nosso grupo e em nossos amados, em nome de Jesus. Por favor, cura todo mal e dor que essa fortaleza já causou em nossa vida e na vida das pessoas a quem amamos.

Em nome de Jesus e pelo poder de seu sangue, amém.

Fortaleza de concordância com o inimigo

Becky percebeu que precisava parar de concordar com o inimigo após uma ida ao pronto-socorro por ter caído em uma calçada escorregadia. Becky tinha um bom plano de saúde, então sabia que não precisaria pagar caro ao hospital — até uma cobrança de seis mil dólares chegar pelo correio. Parecia que a solicitação feita ao hospital para revisão da cobrança excessiva era recebida por ouvidos surdos.

Ela me ligou para reclamar:

— Por que o inimigo sempre rouba de mim? — perguntou. — Por que sempre sou cobrada a mais por tudo? Não é de se espantar que eu nunca tenha dinheiro!

Eu lhe disse:

— Becky, parece que você está acreditando em uma mentira e concordando com o argumento do inimigo de que ele pode roubar de você.

Ela ficou chocada.

— Nunca pensei desse jeito antes. O que devo fazer?

— Peça perdão a Deus por essa concordância. E então vamos quebrar qualquer mentira relativa a essa sua conta hospitalar.

Becky orou:

— Senhor, por favor, perdoa-me por ter concordado com a mentira profana de que o inimigo sempre rouba de mim. Declaro que isso não é verdade. O inimigo não tem direito de roubar de mim. Também peço, se a cobrança do hospital for mentirosa, que encontres um meio de corrigi-la.

No dia seguinte, Becky me ligou:

— Você não faz ideia do que aconteceu! O hospital telefonou dizendo que usou o código de faturamento errado em minha conta. Na verdade, não estamos devendo coisa alguma![7]

Você tem concordado com as mentiras do inimigo? Vamos quebrar essa fortaleza agora mesmo!

Querido Senhor,

Eu me arrependo de qualquer concordância que eu tenha feito com o inimigo. Embora eu não possa me arrepender das concordâncias que outros fizeram, peço-te que dês poder a ________ a fim de que abra os olhos para tua verdade e fique livre de concordâncias com o inimigo, até mesmo das não intencionais. Declaro que o inimigo não tem direito de roubar, matar ou destruir nem a mim, nem os membros de nosso grupo de oração e as pessoas que amamos. Declaro que o inimigo não tem direito de roubar, matar ou destruir nossas finanças, missões ou nossos propósitos. Se qualquer uma de nós já disse coisas do tipo: "Eu preferiria estar morta", "Minha vida é uma bagunça", "Estou maluca" ou qualquer outro comentário depreciativo, por favor, cancela as concordâncias que tais palavras fizeram com o inimigo no nome, no sangue e no poder de Jesus. Substitui tais concordâncias com quem tu dizes que somos: pessoas amadas e valiosas, dotadas de uma missão e um propósito maravilhosos que tu, Senhor, providenciarás e para os quais nos darás poder para cumprir. Ajuda-nos a concordar que tu te importas conosco e estás disposto a nos perdoar de toda e qualquer coisa que tem nos impedido de nos aproximar de ti.

Em conjunto oramos para que derrubes essa fortaleza em nós, nos membros de nosso grupo e em nossos amados, em nome de Jesus. Por favor, cura todo mal e toda dor que essa fortaleza já causou em nossa vida e na vida das pessoas que amamos.

Em nome de Jesus e pelo poder de seu sangue, amém.

Fortaleza da mágoa

É possível remover a fortaleza da dor de corações partidos? Com certeza! Em Salmos 147.3, lemos: "Ele cura os de coração quebrantado e enfaixa suas feridas".

Não muito tempo atrás, fui a oradora em um congresso para mulheres, no qual conversamos sobre a importância de perdoar os outros. Orei com elas em busca de perdão e a paz encheu aquele lugar. Ainda assim, eu conseguia sentir a tristeza das mulheres, tristeza por feridas e dores no coração que ainda existiam, muito embora tivessem perdoado aqueles que lhes fizeram mal. Interrompi a mensagem e fiz uma oração pedindo cura emocional. "Coloquem a mão sobre o coração", orientei, "e vamos pedir a Deus que liberte vocês do trauma e da dor por causa da mágoa que ainda sentem."

Juntas clamamos: "Senhor, eu te entrego meu coração partido e a dor emocional causada pelas pessoas que perdoei. Por favor, liberta-me da dor e do trauma que sinto e restaura minha alegria". Senti o alívio inundar aquele ambiente à medida que Deus gentilmente restaurava corações partidos.

Para que a fortaleza da mágoa seja derrubada, é importante orar pedindo cura emocional.

Querido Senhor,

Eu me arrependo por não entregar todas as minhas mágoas a ti e o faço agora. Embora eu não possa me arrepender das vezes que outros deram lugar à mágoa, peço-te que dês poder a ______ a fim de que abra os olhos para tua verdade e entregue suas mágoas a ti agora. Peço-te que cures nosso coração partido e a dor que sentimos. Por favor, não nos deixes cair na tentação de abrir espaço para os espíritos maus que espreitam por trás da mágoa, como a autocomiseração, a ira, a destruição, o medo, a depressão ou o desespero. Se já sucumbimos a esses espíritos malignos, instruímos que nos deixem agora em nome de Jesus. Senhor, substitui essa fortaleza por tua cura, teu amor, tua iluminação, tua verdade, teu consolo, tua esperança, alegria e paz.

Em conjunto oramos para que derrubes a fortaleza da mágoa em nós, nos membros de nosso grupo e em nossos amados, em nome de Jesus. Por favor, cura todo mal e toda dor que essa fortaleza já causou em nossa vida e na vida das pessoas que amamos.

Em nome de Jesus e pelo poder de seu sangue, amém!

~ Conselho de intercessão ~

Uma amiga minha foi terrivelmente atacada quando jovem, e o homem que a violentou jamais foi pego. Ela elaborou a dor desse episódio, perdoou o homem e até orou para que um dia ele conhecesse a graça salvadora de Jesus.

Até que um dia Rosemary sofreu um acidente de carro e, enquanto estava em coma, viu-se de pé em um campo de trigo nos arredores do céu. O trigo se abriu e um homem grande veio em sua direção.[8]

— Quem é você? — perguntou ela.

— Sou o homem que a estuprou — disse ele e segurou sua mão. — Gostaria de dizer que lamento muito tê-la machucado e também quero agradecer. Foi porque você me perdoou e orou por mim que estou aqui hoje.[9]

Conto essa história porque, muito embora você possa se sentir tentada a desistir das pessoas pelas quais foi chamada a orar, não desista! Você nunca sabe o que nosso Deus de milagres é capaz de fazer para dar uma reviravolta completa na vida de alguém ou para libertar um ser humano.

~ Desembainhe sua espada ~

Chegou a hora de sair empunhando a espada.

> O ladrão vem para roubar, matar e destruir. Eu vim para lhes dar vida, uma vida plena, que satisfaz.
>
> João 10.10

> Embora sejamos humanos, não lutamos conforme os padrões humanos. Usamos as armas poderosas de Deus, e não as armas do mundo, para derrubar as fortalezas do raciocínio humano e acabar

com os falsos argumentos. Destruímos todas as opiniões arrogantes que impedem as pessoas de conhecer a Deus. Levamos cativo todo pensamento rebelde e o ensinamos a obedecer a Cristo.

2Coríntios 10.3-5

Em minha angústia, orei ao SENHOR;
o SENHOR me ouviu e me livrou.

Salmos 118.5

Protege minha vida e livra-me!
Não permitas que eu seja envergonhado,
pois em ti me refugio.

Salmos 25.20

– Posicionadas em seus postos de oração –

Querido Senhor,

O ladrão vem somente para roubar, matar e destruir, mas eu me alegro porque tu vieste a fim de que eu, bem como aqueles a quem eu amo, possam ter vida, e vida plena. Muito embora eu viva no mundo, não luto conforme os padrões humanos. As armas que uso no combate não são as armas do mundo. Pelo contrário, elas têm poder divino para demolir fortalezas. É por isso que posso derrubar argumentos e toda pretensão que se levanta contra o conhecimento de Deus, bem como levar cativo todo pensamento e ensiná-lo a obedecer a Cristo. Sempre que problemas me causarem angústia, tudo que preciso fazer é orar a ti, Senhor. Tu me respondes e me libertas. Por favor, livra a mim e aqueles a quem amo agora mesmo. Não nos permitas que sejamos envergonhados. Deposito minha confiança em ti.

Em nome de Jesus, amém.

6
Oração para vencer batalhas

Portanto, submetam-se a Deus. Resistam ao diabo,
e ele fugirá de vocês.

TIAGO 4.7

O rei Josafá, de Judá, era um bom governante, consagrado ao Senhor. Mas ele tinha um defeito fatal: nem sempre consultava a Deus antes de tomar decisões.

Certa vez, Josafá decidiu levar paz ao reino dividido de Israel casando seu filho com a filha do ímpio rei Acabe e de sua esposa perversa, a rainha Jezabel. Não só isso, mas deixou-se deixou convencer pelo rei Acabe para ir à guerra contra a Síria, muito embora o profeta do Senhor tivesse advertido quanto a um grave desastre.

Na batalha que se seguiu, Acabe foi morto e Josafá mal escapou com vida. Mas o pior de tudo foi que Deus se irou com Josafá por lhe desobedecer e não o buscar em primeiro lugar. Quando Josafá voltou para Judá, sabia que não estava em boa situação diante de Deus.

Então chegou o dia em que Josafá ficou sabendo que uma coalizão poderosa de exércitos estava marchando para atacar o reino de Judá. Dessa vez, o monarca fez algo notável. Não se apressou a fim de preparar seu exército para a batalha. Sua nova estratégia de guerra foi convocar o povo para que todos juntos buscassem a Deus. Enquanto intercediam por livramento, Deus respondeu às orações do povo. O Senhor lhes disse por meio do jovem Jaaziel que os livraria sem confronto. Essa mensagem da parte de Deus encorajou tanto Josafá que ele reuniu um coral para ir à frente do exército, cantando: "Deem graças ao SENHOR; seu amor dura para sempre!". À medida que o exército marchava para encontrar os inimigos, ainda a quilômetros de distância, as tropas adversárias começaram a lutar entre si. Josafá e seu exército apareceram em cena tão somente para deparar com um mar de cadáveres. Deus já havia vencido a batalha sem a ajuda deles. (Relato com base em 2Cr 18-20.)

Nós, intercessoras de oração, também devemos colocar Deus em primeiro lugar, concentrando-nos nele por meio do louvor, depois consultando-o em oração — convidando-o para agir em nossos problemas e preocupações — e, por fim, seguindo sua orientação. Quando a batalha pertence ao Senhor, ele a vence. Oremos.

Querido Senhor,

Coloco-te em primeiro lugar enquanto louvo teu santo nome! Mostra-me como orar em relação a ______. Guia-me e interfere nessa preocupação. Essa batalha pertence a ti e sei que tu a vencerás!

Em nome de Jesus, amém.

Chaves da intercessão para vencer as batalhas

O rei Josafá usou as chaves a seguir em sua estratégia de intercessão. Nós também podemos fazê-lo.

- Chave da fé.
- Chave do foco.
- Chave da humildade.
- Chave da obediência.
- Chave da parceria.
- Chave da confiança.

Chave da fé

Josafá podia até ter desagradado a Deus, mas ainda tinha fé. Sabemos disso porque, quando o inimigo marchou contra seu povo, ele creu mais no poder de Deus para salvá-lo do que no próprio poder para se salvar.

Recentemente ouvi minha amiga Nancy Martin contar sobre uma viagem missionária que ela fez para servir em vilas às margens do rio Amazonas. Havia uma vila minúscula pela qual nunca havia passado nenhum missionário. Mas isso não impediu que os habitantes de lá orassem para que Deus mandasse missionários para ajudá-los também. Necessitavam de comida e estavam desesperados por água potável. Mas os anos se passavam e eles eram continuamente negligenciados, enquanto barco após barco de missionários seguia viagem sem parar em suas margens. À medida que as pessoas continuavam a observar os barcos de missionários descerem o rio, começaram a se perguntar se sua vila havia sido esquecida por Deus. No entanto, continuavam orando.

Até que, algumas semanas atrás, enquanto Nancy e sua equipe percorriam o Amazonas, pararam nessa vila, mesmo que ela fosse formada por apenas oito casas. Os membros da equipe responsáveis pelo reconhecimento do território descobriram que a vila não tinha poço. Os habitantes se encheram de alegria ao saudá-los e ouviram de bom grado as boas-novas sobre Jesus. Ficaram emocionados ao receber os suprimentos tão necessários e a promessa de um poço.

Os habitantes disseram à equipe que jamais haviam desistido de orar pedindo que, um dia, missionários os visitassem. Afinal, haviam dado à vila o nome "Deus é fiel".[1]

Em Lucas 18, Jesus encorajou os discípulos a nunca desistir. Contou a parábola de uma viúva que continuava a levar seu caso a um juiz que não se interessava por sua aflição. No entanto, como a mulher continuou a incomodá-lo, o juiz fez o que ela pediu. Jesus resumiu essa parábola dizendo: "Aprendam uma lição com o juiz injusto. Acaso Deus não fará justiça a seus escolhidos que clamam a ele dia e noite? Continuará a adiar sua resposta? Eu afirmo que ele lhes fará justiça, e rápido! Mas, quando o Filho do Homem voltar, quantas pessoas com fé ele encontrará na terra?" (v. 6-8).

Não queremos ser encontrados sem oração, nem sem fé. Nunca pare de orar e nunca se esqueça de que você está orando a um Deus que é absolutamente capaz de vencer cada batalha, suprir cada necessidade e responder a cada oração, pois "Deus é fiel". Oremos.

Querido Senhor,

Agradeço porque és fiel em cada batalha minha!

Em nome de Jesus, amém.

Chave do foco

Acho que Josafá estava tão ocupado levando paz ao reino de Israel que falhou em consultar a Deus sobre seu trabalho. Teria sido melhor se ele tivesse orado pedindo paz e depois buscado a direção de Deus. Tiago 4.2 declara: "Não têm o que desejam porque não pedem". Em outras palavras, o desejo de Josafá de levar mudança positiva a seu reino teria sido mais bem atendido se ele tivesse passado mais tempo em oração, buscando a Deus em suas aflições. Em 1Crônicas 16.11 lemos: "Busquem o SENHOR e sua força, busquem sua presença todo o tempo".

Sabemos que Jesus, que estava sempre ocupado fazendo o bem, ainda se concentrava em Deus, passando tempo com ele. Marcos 1.35 conta: "No dia seguinte, antes do amanhecer, Jesus se levantou e foi a um lugar isolado para orar".

Se Jesus buscava a presença de Deus, nós também devemos fazê-lo, sobretudo quando deparamos com as batalhas à nossa frente. Oremos.

Querido Senhor,

Olho para ti nesta dificuldade, pois sei que tu vencerás minhas batalhas.

Em nome de Jesus, amém.

Chave da humildade

Josafá aprendeu a lição. Da segunda vez que enfrentou uma batalha, ele buscou o auxílio e o conselho de Deus. Dessa vez, quando o Senhor respondeu com instruções, Josafá deu ouvidos. Ele e o povo se prostraram e adoraram o Criador (2Cr 20.18).

Josafá não era mais orgulhoso, nem tentava resolver os problemas à própria maneira. Em vez disso, era humilde e buscava resolver suas questões do jeito de Deus.

Jesus deu uma mensagem aos orgulhosos quando contou outra parábola, registrada em Lucas 18.10-13:

> Dois homens foram ao templo orar. Um deles era fariseu, e o outro, cobrador de impostos. O fariseu, em pé, fazia esta oração: "Eu te agradeço, Deus, porque não sou como as demais pessoas: desonestas, pecadoras, adúlteras. E, com certeza, não sou como aquele cobrador de impostos. Jejuo duas vezes por semana e dou o dízimo de tudo que ganho". Mas o cobrador de impostos ficou a distância e não tinha coragem nem de levantar os olhos para o céu enquanto orava. Em vez disso, batia no peito e dizia: "Deus, tem misericórdia de mim, pois sou pecador".

Jesus explicou: "Eu lhes digo que foi o cobrador de impostos, e não o fariseu, quem voltou para casa justificado diante de Deus. Pois aqueles que se exaltam serão humilhados, e aqueles que se humilham serão exaltados" (v. 14).

Quando nos achegamos à presença de Deus como intercessores enfrentando uma batalha, devemos nos apresentar não em orgulho, mas em humildade. Precisamos nos lembrar de que as orações não dizem respeito a conseguir as coisas à nossa maneira, mas, sim, a nos unir a Deus em seu jeito de fazer as coisas. Oremos.

Querido Senhor,

Humildemente venho a ti buscando teu melhor em todas as batalhas. Não seja feita a minha vontade, mas a tua.

Em nome de Jesus, amém.

Chave da obediência

A. W. Tozer declarou: "A oração jamais é uma substituta aceitável para a obediência".[2] Isso acontece porque a obediência é muito importante para Deus. Josafá havia perdido o favor de Deus por causa da desobediência.

Certa vez, Deus interrompeu a oração de Moisés para lhe

dar uma ordem. Moisés suplicava a Deus que salvasse os israelitas, encurralados entre os carros de faraó e o mar Vermelho, mas o Senhor o fez parar de falar: "Por que você está clamando a mim? Diga ao povo que marche! Tome sua vara e estenda a mão sobre o mar. Divida as águas para que os israelitas atravessem pelo meio do mar, em terra seca" (Êx 14.15-16).

Assim como na situação de Moisés, há momentos em que precisamos nos erguer da oração e fazer o que Deus nos mandou, mesmo que não tenhamos todas as respostas, mesmo que o caminho pareça difícil ou impossível, mesmo que a obediência exija sangue, suor e lágrimas.

Quando Deus nos manda avançar, por que nos preocuparíamos? Sabemos que ele nos livrará com seu Espírito, sua força, seu propósito, seu tempo e sua provisão. Por isso, quando receber ordem divina de seguir adiante, tire a poeira dos pés, caminhe rumo ao propósito dele com louvor nos lábios e veja-o vencer suas batalhas.

Querido Senhor,

Mostra-me como proceder neste momento, nesta e em todas as batalhas. Dá-me coragem para fazer o que mandares.

Em nome de Jesus, amém.

Chave da parceria

Com o desastre a seu encalço, Josafá conclamou o povo para orar com ele.

Talvez seja hora de você fazer o mesmo. Ore com seu grupo de oração para mover montanhas e também reflita sobre a ideia de criar o próprio círculo de oração formado por amigas de confiança ou familiares para orarem com você. Eclesiastes 4.12 expressa essa ideia nas seguintes palavras: "Sozinha, a pessoa corre o risco de ser atacada e vencida, mas duas pessoas juntas podem se defender melhor. Se houver três, melhor ainda, pois uma corda trançada com três fios não arrebenta facilmente".

Eu amo orar com minhas amigas. Recebo força, poder e novas perspectivas quando oro acompanhada. Minhas amigas e eu incentivamos umas às outras a ter mais fé, propósito e amor. Ligue para uma amiga e ore com ela hoje. Você pode orar mais ou menos assim:

Querido Senhor,

Em conjunto nos achegamos a ti, uma corda trançada de oração, pedindo que intervenhas na batalha relativa a ______.

Em nome de Jesus, amém.

Chave da confiança

Josafá estava tão confiante na salvação prometida por Deus que colocou seus melhores adoradores à frente do exército, a fim de que pudessem seguir cantando enquanto avançava para a batalha.

Não sei qual seria sua reação, mas se eu me encontrasse em uma batalha com um supervisor no trabalho e o Senhor dissesse que me daria em breve vitória, eu até me alegraria em silêncio em meu coração. Quem sabe sorrisse em paz na reunião, mas não acho que pularia pelos corredores tocando pandeiro e cantando um salmo.

Mas foi exatamente o que Josafá e seu exército fizeram. Josafá demonstrou fé em Deus com um desfile de vitória antes mesmo de vê-la se concretizar.

Como é maravilhoso confiar em Deus assim! Quanto mais aprendemos a confiar em Deus e a celebrar nossas vitórias antes que elas aconteçam, maior é nossa alegria, nossa paz e nosso cântico.

George Müller compreendia esse princípio. No século 19, George fundou e administrou o orfanato Ashley Down em Bristol, na Inglaterra. Embora nunca tenha enviado uma única carta pedindo auxílio financeiro, nem tomado a iniciativa de recolher ofertas, Müller cuidou de 10.024 órfãos ao longo da vida. Sua obra era financiada pelas asas da oração. Certa vez, Müller explicou: "Creio que Deus tem ouvido minhas orações. Ele tornará claro, a seu tempo, que está me ouvindo. Tenho registrado meus pedidos para que, quando o Senhor os atender, seu nome seja glorificado".[3]

Servimos a um Deus que provê, um Deus em quem podemos confiar. Pode até ser que ele não responda conforme havíamos imaginado e seu tempo pode ser marcado em um fuso horário celestial, não no nosso, mas Deus responderá a nossos pedidos bem a tempo de vermos os resultados milagrosos. Ele faz isso porque suas intenções a nosso respeito são boas.

O profeta Jeremias registrou as seguintes palavras do Senhor: "Porque eu sei os planos que tenho para vocês. [...] São planos de bem, e não de mal, para lhes dar o futuro pelo qual anseiam. Naqueles dias, quando vocês clamarem por mim em oração, eu os ouvirei" (Jr 29.11-12).

Faça suas preces e una-se ao desfile da vitória. As batalhas à nossa frente podem ser grandes, mas ainda maior é a vitória do Senhor. Oremos.

Querido Senhor,

Eu confio em ti. Sei que fazes todas as coisas cooperarem para o meu bem, assim como para o bem maior de todas as minhas batalhas.

Em nome de Jesus, amém.

E se Deus responder *não* a uma oração de fé?

Sim, é difícil entender, mas, às vezes, Deus diz *não*. Sem chance. De forma alguma. Absolutamente não.

Perguntei a minhas amigas intercessoras como elas lidam com uma resposta negativa e recebi uma variedade de reações. Um grupo de amigas explicou que confia tão profundamente em Deus que não se incomoda nem um pouco se o resultado que esperava não se concretizar. Sabe que Deus tem outro propósito melhor.

Embora eu admire sua fé e até a aplauda, também tenho me relacionado com pessoas imensamente feridas pelos *nãos* de Deus. Sentiram-se profundamente magoadas e confusas. Algumas até abandonaram a fé.

Quando ouço as histórias desses feridos em batalha, estremeço. O casamento ruiu. O filho morreu. A casa foi entregue ao banco. A pessoa não conseguiu vencer a depressão ou o vício. Perdeu o emprego. O abusador continuou com suas práticas abusivas. O inimigo continuou a roubar, matar e destruir seus amados. Sinto sua dor, pois também já precisei enfrentar grandes perdas. Posso lhe dizer por experiência própria que alguns *nãos* de Deus são muito dolorosos.

Com frequência, gente que ainda sofre com um *não* me procura em busca de oração e conselho. O que eu digo? Explico que os caminhos de Deus não são os nossos. Encorajo a perdoar todos os responsáveis pelo sofrimento. Lembro tais pessoas do quanto Deus as ama e de que não se esqueceu delas. Explico que ele continua a agir na vida delas e que encontrarão esperança novamente. Seguro-as em meus braços e choro com elas.

Ouço com frequência: “Estou tentando me recuperar do

não de Deus a uma batalha ferrenha, mas meu coração está partido e a dor é insuportável".

Eu digo: "Você fez tudo certo! Você orou e acreditou. Mas ainda carrega a dor da perda. Você já pediu a Deus que cure sua dor?". Então oro: "Querido Senhor, por favor, cura a dor de minha amiga. Mostra-lhe as novas possibilidades que tens para a vida dela. Transforma sua vida em um milagre de amor e alegria. Em nome de Jesus, amém".

Esse tipo de oração anima o coração quebrantado, fazendo-o retornar a um lugar de esperança, no qual é possível encontrar libertação da dor e a paz que provém da confiança em Deus em meio a tudo que a vida trouxer.

No calor da batalha

Às vezes, achamos que perdemos uma batalha de oração, quando, na verdade, ela ainda não terminou.

Certa manhã, Tina Samples foi despertada às três da manhã a fim de orar por Robert. Ela desceu ao porão da casa, deitou de bruços e começou a buscar o Senhor. Tina orou por duas horas. Ela conta que foi como se estivesse assistindo a uma grande batalha entre anjos e demônios. Finalmente, perguntou: "Senhor, por que esta batalha não terminou? Por que o inimigo não está derrotado em teu nome?".

O Senhor lhe disse: "Abra a Palavra".

Ela buscou seu guia de ano bíblico e abriu na leitura do dia, em Mateus 17. Ali leu a história de como os discípulos tentaram expulsar o demônio de um garoto, mas não conseguiram.

Jesus perguntou ao pai do menino: "Há quanto tempo isso acontece com ele?".

O homem respondeu: "Desde que ele era pequeno". Então Jesus disse aos discípulos que aquele tipo de fortaleza só poderia ser derrotado por meio de jejum e oração.

Tina conta: "Saí dali entendendo algumas coisas. Em primeiro lugar, a fortaleza na vida de Robert está ali desde que ele era pequeno. Segundo, ele precisa querer melhorar. Terceiro, é necessário jejum e oração. A batalha ainda pode ser ganha na vida dele, mas não será rápido".[4]

~ Conselho de intercessão ~

Joy Schneider compartilhou comigo: "Aprendi o princípio da luta. Aquele que conseguir aplicar pressão de batalha por mais tempo vence. Quando minha força começa a desaparecer, cito passagens bíblicas como 'Tudo posso naquele que me fortalece' e 'Ele é forte em minha fraqueza'. Visualizo Jesus atrás de mim. Sei que quando minha força e determinação estão se esgotando, ele dará um passo à frente e pressionará o inimigo até a derrota".[5]

Essa é uma excelente imagem de como obter força em meio à batalha: buscando-a no próprio Jesus. Mas precisamos persistir na luta e, com frequência, avançar com intensidade.

~ Desembainhe sua espada ~

Expus com cuidado algumas belas espadas. Esteja pronto para usá-las em nosso próximo momento de oração.

> Portanto, submetam-se a Deus. Resistam ao diabo, e ele fugirá de vocês.
>
> Tiago 4.7

Filhinhos, vocês pertencem a Deus e já venceram os falsos profetas, pois o Espírito que está em vocês é maior que o espírito que está no mundo.

1João 4.4

Naquele dia, porém, nenhuma arma voltada contra você prevalecerá. Você calará toda voz que se levantar para acusá-la. É assim que o Senhor agirá em favor de seus servos; eu lhes farei justiça. Eu, o Senhor, falei!

Isaías 54.17

– Posicionadas em seus postos de oração –

Chegou a hora de reunir um exército para orar por você e também de fazer parte do exército que ora pelos outros.

Querido Senhor,

Obrigada porque podemos continuar nos achegando a ti como um exército de intercessoras que lê este livro juntas. Submetemo-nos a ti. Ajuda-nos a resistir ao diabo em todas as ocasiões, para que ele fuja de nós.

Oramos umas pelas outras e pedimos que afastes as trevas de nossa vida, a fim de que possamos viver em tua luz. Rogamos que nossos olhos se abram para os ataques do inimigo e que aqueles por quem oramos vençam esses ataques. Quebramos toda retaliação contra nós por parte do inimigo ao orar umas pelas outras, por nós mesmas e por aqueles que colocaste em nossa vida.

Ajuda os quebrantados de coração e aqueles que se decepcionaram em oração. Ajuda-nos a aprender a confiar em ti de todo o coração. Consola-nos e cura nossa dor, pois tu vives dentro de nós e és maior do que o que está no mundo. Agradecemos porque somos teu exército de oração e porque nenhuma arma voltada contra nós prevalecerá. Alegramo-nos porque toda língua que acusa em julgamento será condenada por ti. Essa é nossa herança, pois servimos a ti e tu nos farás justiça.

Oramos umas pelas outras para que tenhamos mais fé, mais foco, mais humildade, mais obediência e mais confiança à medida que nos unimos para em conjunto afastar o inimigo, resgatar os oprimidos por Satanás e vencer a batalha.

Levantamo-nos em teu desfile de vitória e te louvamos por tudo que fizeste, bem como por tudo que fazes agora. Dá-nos tuas ordens e ajuda-nos a cumpri-las.

Em nome de Jesus, amém.

7
Oração pela família

Irmãos, orem por nós.
1 Tessalonicenses 5.25

Você passou meses planejando um belo jardim repleto de cor, fragrância e amor. Arou o solo, acrescentou os nutrientes recomendados e, com cuidado, plantou amores-perfeitos roxos e amarelo-ouro, bocas-de-leão rosas, petúnias vermelhas e todas as suas flores preferidas. Sente-se uma pessoa abençoada, mas só até a próxima vez que vai ao jardim. Embora achasse que havia feito tudo direitinho, algo deu terrivelmente errado. Suas preciosas flores estão murchas debaixo do sol escaldante, como se estivessem com falta de ar, buscando o fôlego de vida que desvanece bem diante de seus olhos.

Você fica sem saber o que fazer, até se lembrar de sua arma secreta: um belo regador cheio de água fresca.

"Mas", você para e pensa, "eu não deveria ter de regar essas flores. Elas fazem parte da criação divina. Deus não deveria mandar a chuva necessária?" Talvez o seu regador seja um sinal. Quem sabe ele não seja a ferramenta que Deus colocou em suas mãos para uma ocasião como essa?

Cuidar da família se parece muito com cuidar de um jardim. E Deus colocou uma bela ferramenta em nossas mãos: a oração. Por meio da oração, podemos arrancar ervas daninhas, espantar cobras e derramar água refrescante em nossos botões. Podemos usar a oração não só para construir cercas de proteção, mas também para consertá-las quando estão quebradas.

Quando eu era criança, sentia-me como um jardim florido muito bem cuidado. Não só tinha pais que oravam por mim, como também sabia que minha avó invocava meu nome perante o Senhor todos os dias. Reconheço que as orações de meus entes queridos me ajudaram a me tornar a pessoa de fé que sou hoje, alguém que sobreviveu a secas terríveis, ervas daninhas sufocantes e vários encontros com serpentes. Por causa daquilo que aprendi e recebi, eu também passei muitas horas de joelhos orando tanto por meus filhos quanto por outros membros da família. Aliás, eu esmurrei a porta do céu em prol dos meus filhos e amados para, no devido tempo, ver Deus agir na vida deles.

Oração é trabalho e, às vezes, quando eu oro, é como se estivesse trabalhando com Deus para eliminar as ervas daninhas que o inimigo semeou na vida de meus amados. Em outras ocasiões, é como derramar água revitalizante para ajudar meus amigos e amados a se recuperar de uma perda, dificuldade ou doença. Tais orações refletem a prece de Davi em Salmos 67.1: "Que Deus seja misericordioso e nos abençoe. Que a luz de seu rosto brilhe sobre nós".

Quando não oramos por nossa família, é como se estivéssemos nos esquecendo de cuidar do jardim.

A mãe de minha amiga Rebekah, aos 93 anos de idade, continuava a se lembrar de cuidar de seu jardim com oração mesmo depois de desenvolver demência. Às vezes, os funcionários da casa de repouso ligavam se desculpando com Rebekah, com a mãe na linha: "Desculpe-nos, Rebekah, mas sua mãe insiste em falar com você. Ela acha que você está com algum problema. Tentamos tranquiliza-la, mas ela faz questão de conversar com você".

Rebekah conta: "Com a memória sofrendo declínio, mamãe não conhecia mais os detalhes de minha vida cotidiana, quanto menos minhas provações e tribulações. Contudo, quando a colocavam no telefone, ela dizia: 'Becky, preciso orar por você hoje'. Então começava uma oração que descrevia detalhes de situações que ela não tinha como saber. Ficava claro que ela não estava orando com base no próprio conhecimento intelectual, mas, sim, pelo poder do Espírito, que a conduzia a orar por minhas necessidades específicas".[1]

Que belo testemunho do poder de uma vida de oração!

Nossas orações podem fazer muito

Conheci um casal em um avião que me contou que era zeloso em orar pelos filhos. Compartilharam: "Trata-se de trabalho duro e constante. Mas vale a pena. Nossas filhas são felizes no casamento e estão bem. Mas isso não significa que devemos deixar de orar por elas".

Nossas orações pela família podem realizar muito. Elas são capazes de:

- Arrancar ervas daninhas.
- Espantar cobras venenosas.
- Regar as flores.
- Construir muros de proteção.
- Consertar cercas.

A beleza da oração intercessora é que estamos plantando os pedidos por nossos amados em Deus. Ele produzirá a colheita de beleza, amor, saúde, proteção e cura nos relacionamentos. Vamos interceder acima da média!

Arrancar ervas daninhas

Jesus chamou os discípulos para ser zelosos na oração e nos conclama a fazer o mesmo. Se não formos diligentes, seremos como o agricultor preguiçoso que Salomão descreveu em Provérbios 24.30-34:

> Passei pelo campo do preguiçoso,
> pelo vinhedo daquele que não tem juízo.
> Tudo estava cheio de espinhos e coberto de ervas daninhas,
> e seu muro de pedras, em ruínas.
> Então, enquanto observava e pensava no que via,
> aprendi esta lição:
> Um pouco mais de sono, mais um cochilo,
> mais um descanso com os braços cruzados,
> e a pobreza o assaltará como um bandido;
> a escassez o atacará como um ladrão armado.

Não podemos abrir espaço para a escassez em nossa vida de oração, sobretudo no que diz respeito a nossa família. Necessitamos de persistência quando oramos por nossos amados, mas ela compensa.

Jesus tinha uma vida de oração persistente. Certa manhã, como de costume, foi para o campo passar um tempo a sós com Deus. Ao voltar, encontrou uma multidão rodeando seus discípulos. Veja o relato de Mateus 17.14-21:

> Ao pé do monte, uma grande multidão os esperava. Um homem veio, ajoelhou-se diante de Jesus e disse: "Senhor, tenha misericórdia de meu filho. Ele tem convulsões e sofre terrivelmente.

Muitas vezes, cai no fogo ou na água. Eu o trouxe a seus discípulos, mas eles não puderam curá-lo".

Jesus disse: "Geração incrédula e corrompida! Até quando estarei com vocês? Até quando terei de suportá-los? Tragam o menino para cá". Então Jesus repreendeu o demônio, e ele saiu do menino, que ficou curado a partir daquele momento.

Mais tarde, os discípulos perguntaram a Jesus em particular: "Por que não conseguimos expulsar aquele demônio?".

"Porque a sua fé é muito pequena", respondeu Jesus. "Eu lhes digo a verdade: se tivessem fé, ainda que do tamanho de uma semente de mostarda, poderiam dizer a este monte: 'Mova-se daqui para lá', e ele se moveria. Nada seria impossível para vocês, mas essa espécie não sai senão com oração e jejum."

Leve em conta que Jesus disse isso mesmo sem ter passado horas orando pelo garoto. No entanto, Cristo tinha uma rotina de oração. É por isso que ele só precisou dar uma breve ordem e o garoto se recuperou.

Quando nos tornamos pessoas de oração, passamos a acreditar que tudo é possível. Nossas orações levarão nossos entes queridos à libertação das ervas daninhas do pecado, como raiva, ódio, amargura, abuso, programas midiáticos sombrios, envolvimento com o oculto, drogas, álcool, pornografia, jogos de azar ou outros vícios.

Aqui está um exemplo de oração para ajudar você a arrancar as ervas daninhas do jardim de seus amados:

Querido Senhor,

Eu me achego a ti, clamando em oração em favor de ______. Tua Palavra diz: "Por isso o Filho de Deus veio, para destruir as obras do diabo" (1Jo 3.8). Uma vez que tu vieste para destruir as obras do diabo, ergo-me ao teu lado para destruir as obras do inimigo na vida dessa pessoa que eu amo. Nomeio cada erva daninha [cite cada pecado e vício] e peço que arranques tais práticas pela raiz da vida dessa pessoa, no poder e na autoridade do nome de Jesus. Ordeno aos pecados e vícios, bem como ao espírito maligno por trás deles, que saiam agora. Em nome de Jesus, peço que ______ encontre teu amor e tua liberdade, para ser realmente livre.

No poder do nome e do sangue de Jesus, amém.

Essa oração é apenas uma prece inicial. Ore por seus amados sempre que se sentir movida a isso. Ore constantemente, de joelhos ou enquanto dirige seu carro, e continue a interceder até sentir a paz de Deus.

Espantar cobras venenosas

Um homem corria todos os dias pelas colinas do Colorado até o dia em acabou pisando em uma cascavel. A cobra atacou sua perna, penetrando profundamente as presas para liberar todo seu reservatório de veneno. A picada quase lhe custou a vida e causou um grave impacto em sua saúde. Pisar em cima da cobra mudou a vida daquele homem.[2]

Às vezes, nossos amados dão esse tipo de passo trágico, embora, com frequência, isso não aconteça por sua culpa. Estão cuidando da própria vida, quando circunstâncias venenosas ou até mesmo questões influenciadas por espíritos maus, como traição, mágoa, perda, ansiedade, medo, rejeição, mentira, pobreza, desemprego, doença, depressão, dor emocional ou física, os atacam. Nós, guerreiras de oração, devemos levar a sério tais situações. São problemas que não serão resolvidos com um tapinha nas costas e um comentário rápido do tipo "Vou orar por você".

Jairo era líder na sinagoga e havia testemunhado os milagres de Jesus. Ele sabia que os milagres eram reais e inquestionáveis. Por isso, quando sua filha ficou doente, não hesitou e foi correndo até o Mestre. Jairo disse a Jesus:

— Se o senhor for e puser a mão sobre minha filha, ela viverá!

Enquanto Jesus se dirigia à casa de Jairo, chegou a mensagem de que sua filha havia morrido. Jesus disse:

— Não tenha medo. Apenas creia.

Quando Jesus e Jairo chegaram, encontraram as pessoas enlutadas, chorando e se lamentando. Mas Jesus disse:

— Por que vocês estão agindo assim? Ela não está morta, está apenas dormindo!

As pessoas riram dele. Elas sabiam identificar a morte!

Jesus mandou que os pranteadores saíssem, tomou a menina pela mão e disse:

— Menininha, eu lhe ordeno que se levante!

A garota se levantou e andou. (Relato com base em Mt 9.18-25; Mc 5.21-43; Lc 8.40-56.)

A morte havia de fato entrado na casa de Jairo e levado sua filha, mas Jesus era mais forte que a morte. Ele é capaz de ressuscitar qualquer situação. Pode curar picadas de cobra que incluem traição, mágoa, perda, circunstâncias, ansiedade, medo, rejeição, mentira, pobreza, desemprego, doença, depressão, dores ou transtornos emocionais ou físicos. Quando oramos, Jesus é capaz de pegar nossos amados pela mão e restaurar sua vida. É uma ótima notícia, mas precisamos estar preparadas para orar.

Quando eu era bebê, minha mãe parou meu carrinho de bebê ao lado de um canteiro de flores, onde havia uma cobra venenosa letal escondida por trás dos lírios. Enquanto minha mãe conversava com a vizinha do outro lado da cerca, eu estiquei a mão para tocar as flores. De repente, a vizinha viu a cobra e, enquanto minha mãe gritava, a vizinha pulou a cerca e matou a cobra antes que ela conseguisse me atacar.

Às vezes, você percebe seus amados voluntária ou inconscientemente mantendo serpentes na vida. Faça uma advertência quando puder, mas, além disso, use sua poderosa arma da oração para pular a cerca e entrar em combate. Ordene às cobras que saiam, no poder do nome e do sangue de Jesus. Use as promessas das Escrituras como ajuda para orar. Eis um exemplo de como você pode fazer uma oração desse tipo:

Querido Senhor,

Tu disseste: "O ladrão vem para roubar, matar e destruir. Eu vim para lhes dar vida, uma vida plena, que satisfaz" (Jo 10.10). Por isso, reivindico teu propósito e uma vida rica e satisfatória para ______. Tua Palavra diz: "Então conhecerão a verdade, e a verdade os libertará" (Jo 8.32). Portanto, declaro tua verdade na vida de ______ a fim de que encontre a liberdade de ______ [traição, mágoa, perda, circunstâncias, ansiedade, medo, rejeição, mentira, pobreza, desemprego, doença, depressão, dores ou transtornos emocionais ou físicos]. Tiro a cabeça da mentira, do pecado ou do espírito mau que está mantendo cativo meu amado para matar, roubar e destruir sua vida. Ordeno que a mentira, o pecado ou o espírito mau saiam no poder e na autoridade do nome e do sangue de Jesus. Amém.

Continue a fazer esse tipo de oração até ver livramento. Não tenha medo de se ajoelhar, marcar o carpete, gritar em seu canto de oração ou apenas orar em silêncio onde quer que se lembre de clamar. E não se esqueça: Deus está com você nessa missão de resgate.

Regar as flores

Como um jardim florido poderia sobreviver sem água? Água é vida. Sem ela, as flores murcham e secam.

Creio que abençoar as pessoas que amamos é muito como regar flores e consiste em uma parte importante da oração intercessora. Pode chegar um momento em que seja necessário fazer uma intercessão mais urgente, na qual você se prostrará com o rosto em terra a fim de clamar a Deus em prol de um querido. Mas existe também o momento de fazer intercessão preventiva, que inclui bênçãos. Quando estamos ocupadas abençoando nossa família, tais bênçãos ajudam a afastar as obras do inimigo e a manter bem longe ervas daninhas e serpentes.

Uma de minhas lembranças preferidas da infância de meu filho era abençoá-lo todas as manhãs antes que ele saísse para a escola. Eu colocava a mão sobre sua cabeça e pedia: "Querido Senhor, por favor, abençoa meu filho hoje. Peço que o mantenhas em segurança e lhe concedas teu favor". Tive a ideia de abençoar o pequeno Jim com base na prática do próprio Jesus, que, apesar dos protestos dos discípulos, reuniu as crianças em seus braços e as abençoou. Ele disse aos discípulos: "Deixem que as crianças venham a mim. Não as impeçam, pois o reino de Deus pertence aos que são como elas" (Mc 10.14).

O rei Davi também rogou uma bela bênção sobre seu filho Salomão: "Dá a meu filho Salomão o desejo sincero de obedecer a todos os teus mandamentos, preceitos e decretos" (1Cr 29.19).

De acordo com os autores Gary Smalley e John Trent: "Uma flor só consegue crescer quando tem todos os elementos necessários para a vida. Cada flor necessita de solo, ar, água, luz e um lugar seguro para crescer (onde suas raízes não sejam constantemente arrancadas. Sempre que esses cinco ingredientes básicos se fazem presentes, é quase impossível impedir a flor de crescer. O mesmo acontece com os ingredientes básicos da bênção". E prosseguem: "Uma bênção familiar começa com um *toque significativo*. Continua com uma *mensagem falada* de *grande valor*, uma mensagem que apresente um *futuro especial* para o indivíduo abençoado e que se baseie no *compromisso ativo* de ver a bênção se tornar realidade".[3]

Se decidir usar o modelo de Smalley e Trent para abençoar seu cônjuge, pode começar com um abraço ou colocando a mão sobre a cabeça ou o ombro dele. Em seguida, honre-o dizendo algo do tipo: "Você é meu amado, a quem dei meu coração". Então abençoe-o com um futuro ordenado por Deus: "Juntos compartilharemos anos maravilhosos, repletos de riso e alegria, paz e prosperidade. Teremos uma vida comprometida com Cristo". Prossiga com um compromisso ativo, por exemplo: "Comprometo minha vida com você e com nosso futuro juntos. Prometo ser fiel e admirá-lo sempre". Essa bênção parece um voto de casamento, e suponho que poderia ser usada como tal. Mas eu também acrescentaria uma oração para selar a bênção: "Senhor, eu entrego nosso casamento a ti. Por favor, abençoa meu cônjuge e nosso casamento agora e nos anos que virão".

Não tenha medo de abençoar sua família. Se você não fizer isso, quem o fará?

Construir muros de proteção

A primeira vez que vemos um muro de proteção é em Jó, quando Satanás reclama com Deus: "Tu puseste um muro de proteção ao redor dele, de sua família e de seus bens e o abençoaste em tudo que ele faz. Vê como ele é rico!" (Jó 1.10). O muro ou cerca de proteção nessa passagem aludia a uma cerca-viva de espinhos plantada para manter mamíferos grandes, como leões ferozes, distantes de crianças, jardins e rebanhos.[4]

Para construir um muro de proteção ao redor de seus amigos, simplesmente peça a Deus que coloque uma cerca ao redor deles a fim de mantê-los seguros. Orações desse tipo tornam mais difícil para o inimigo que ruge pegar seus amados em uma emboscada. Uma oração de proteção pode ser mais ou menos assim:

Querido Senhor,

Peço-te que coloques uma cerca de proteção ao redor de ______. Cerca meus amados com teu amor, tua presença e teu cuidado. Rogo que envies teus anjos para guardá-los e protegê-los. Por tudo isso eu agradeço!

Em nome de Jesus, amém.

Essa é uma ótima oração intercessora preventiva para fazer todos os dias. Além disso, se você quer acrescentar o poder de orar promessas de proteção registradas na Palavra, transforme o salmo 91 em uma oração por sua família. Minha amiga Rhonda ora o salmo 91 pela própria família todos os dias. Quando o carro de sua filha foi atingido por uma carreta a 110 quilômetros por hora em uma rodovia perigosa de Saint Louis, Kaley e o carro passaram tão ilesas que ela conseguiu sair dirigindo da cena do acidente.[5]

Consertar cercas

Como dói quando vínculos familiares são rompidos em decorrência de raiva, amargura e falta de perdão! Embora não possamos controlar os atos e as emoções dos outros, temos a oportunidade de perdoar e orar. Essas duas ações podem parecer desconectadas, mas é difícil orar por alguém que não perdoamos. É por isso que precisamos orar para consertar as cercas — a fim de conservar o amor.

Podemos perdoar

O perdão, em qualquer situação, começa com você, mesmo diante de males indesculpáveis. C. S. Lewis escreveu: "Ser cristão significa perdoar o imperdoável porque Deus perdoou o imperdoável em você".[6] Isso significa que você não precisa aprovar, nem entender o mal cometido contra você ou seus amados. Você perdoa mesmo assim.

Por mais que você tente, porém, alcançar a *emoção* de perdoar pode ser algo impossível de se realizar. É como se você estivesse escondendo alguma coisa. Corrie ten Boom explica da seguinte maneira: "O perdão é um ato da vontade, e a vontade pode funcionar apesar da temperatura do coração".[7]

Não guarde rancor, pois o perdão abre as portas da prisão da amargura. Só então você estará livre para amar, encontrar alegria e experimentar a paz que excede todo entendimento. Eis algumas instruções simples sobre como perdoar:

- Decida perdoar.
- Peça a Deus que ajude você a perdoar na força dele.
- Caminhe para a liberdade.

É simples assim!

Podemos orar

O perdão pode até não restaurar os relacionamentos, mas abre a porta para o amor.

Uma de minhas amigas lidou com a dor emocional de ver o casamento de sua filha desmoronar. Connie orou para que a filha e o genro percebessem o quanto eles de fato se amavam. Entregou a situação a Deus pela oração e confiou o futuro de ambos ao Senhor. Posteriormente, Connie contou: "Algumas circunstâncias ajudaram minha filha e o esposo dela a reconhecer que, na verdade, eles se amavam e agora estão juntos novamente. E se Deus foi capaz de mover essas duas montanhas teimosas, não há nada que ele não possa fazer".[8]

Talvez você já tenha percebido que é impossível forçar os outros a perdoar. Talvez seja, mas, assim como Connie, é possível dar um passo de oração. Certa mulher vivia presa às pesadas correntes da amargura, até que suas amigas decidiram orar por ela. Embora tivesse prometido jamais perdoar, as preces das amigas ajudaram a abrandar seu coração. Logo ela perdoou uma ofensa impossível. Quando o fez, a alegria voltou a sua vida. Não acho que isso poderia ter acontecido caso as amigas não tivessem orado.

Esses foram exemplos excelentes de orar para que outras pessoas perdoassem. Mas e quando somos nós que necessitamos perdoar?

Descobri que, quando peço a Deus que me ajude a perdoar alguém que cometeu um mal contra mim, ele me dá sua força para fazê-lo e não só remove a amargura, como também, com frequência, restaura o relacionamento rompido. No entanto, mesmo quando o relacionamento rompido não é restaurado, meu coração é liberto da dor do ressentimento e o Senhor me dá a graça de orar por quem me prejudicou.

Tentemos fazer uma oração de perdão, uma das preces mais poderosas que podemos erguer ao céu.

Querido Senhor,

Ajuda-me a perdoar ______. Senhor, eu te peço que me ajudes a perdoar em tua força para que eu possa andar em liberdade. Que meu perdão solte as cadeias das pessoas que eu amo a fim de que elas também andem em liberdade. Por favor, restaura nosso relacionamento mediante o poder de tua graça e de teu amor. Mando embora de nosso relacionamento o espírito de trevas, mentira, amargura e ódio e substituo isso por teu Espírito, que pode inspirar verdade, amor, esperança e paz em nossa vida. Por favor, Senhor, cura todas as mágoas e emoções dolorosas ligadas a essa situação, para os dois lados.

Em nome de Jesus, amém.

É possível que você enfrente uma batalha pessoal que a impeça de fazer essa oração. Se isso acontecer, mantenha-se firme e continue a orar. Além disso, ore sempre que sentir emoções como ira, ódio ou mágoa, as quais se manifestam, às vezes, em múltiplas camadas e ondas. Acho que Deus permite que essas emoções venham à tona com o tempo, para que continuemos a nos curar do trauma da amargura. Persista em oração até o relacionamento ser restaurado. É maravilhoso o que Deus pode fazer tanto em sua vida quanto na vida de seus amados quando você perdoa pelo poder de Deus.

– Conselho de intercessão –

Minha amiga Joy encontra em Jesus a pessoa perfeita para imitar em oração. Ela explica: "Jesus é o maior intercessor. Ele usa vasos dispostos para pedir o que está no coração do Pai". Como é maravilhoso ajudar a derramar o poder de Jesus na vida dos membros de nossa família! Joy nos lembra de que

Jesus vive para interceder (Hb 7.25). Ele quer abrir caminho onde não existe. Quer fazer milagres na vida das pessoas. O segredo é orar no poder do amor. Joy explica: "Quando sentimos o amor de Deus pela pessoa por quem oramos, nós nos tornamos eficazes na intercessão".[9]

A fim de orar como Jesus, devemos amar as pessoas e orar por elas. Mas não se esqueça de amar as pessoas *enquanto* você ora. Quando isso acontece, você ora com o coração de Jesus.

– Desembainhe sua espada –

Posso ouvir a lâmina brilhante das espadas tinir enquanto nos preparamos para orar. Relembre as passagens bíblicas a seguir e una-se a mim em oração por nossa família.

> Se você se refugiar no SENHOR,
> se fizer do Altíssimo seu abrigo,
> nenhum mal o atingirá,
> nenhuma praga se aproximará de sua casa.
> Pois ele ordenará a seus anjos
> que o protejam aonde quer que você vá.
>
> Salmos 91.9-11

> Louvado seja o SENHOR!
> Como é feliz aquele que teme o SENHOR
> e tem prazer em obedecer a seus mandamentos!
> Seus filhos serão bem-sucedidos em toda a terra;
> uma geração inteira de justos será abençoada.
>
> Salmos 112.1-2

> Que louvem o SENHOR por seu grande amor
> e pelas maravilhas que fez pela humanidade.

Pois ele sacia o sedento
e enche de coisas boas o faminto.

Salmos 107.8-9

Ele fará que o coração dos pais volte para seus filhos e o coração dos filhos volte para seus pais

Malaquias 4.6

– Posicionadas em seus postos de oração –

Vamos transformar nossas espadas em declarações. Se puder, faça a oração a seguir em voz alta, pois "a fé vem por ouvir, isto é, por ouvir as boas-novas a respeito de Cristo" (Rm 10.17).

Querido Senhor,

Tu és refúgio para mim e para minha família. Em ti estabeleci nosso lar. Nenhum mal pode chegar até nós. Nenhuma enfermidade chegará perto de nossa casa. Tu darás aos anjos ordens a nosso respeito para que nos protejam em todos os caminhos. Aleluia! Sinto tuas bênçãos porque temo a ti e sou feliz em te obedecer. Meus filhos e descendentes se fortalecerão na terra e serão abençoados. Agradeço por teu amor compassivo e por tuas grandes obras para com meus filhos e familiares. Senhor, sacia nossa alma faminta e sedenta com coisas boas. Tu fazes o coração dos pais se voltar aos filhos e o coração dos filhos se voltar aos pais. Obrigada por colocares uma cerca de proteção ao nosso redor. Arranca as ervas daninhas que o inimigo semeou em nossa vida. Ajuda meus amados a se recuperarem de todos os ataques do inimigo. Ajuda-nos a amar e perdoar uns aos outros, a fim de que nosso amor cresça não só entre nós, mas também por ti.

Em nome de Jesus, amém.

8
Oração por outros

> Em primeiro lugar, recomendo que sejam feitas petições, orações, intercessões e ações de graça em favor de todos.
>
> 1 Timóteo 2.1

Certo dia, tarde da noite, você põe uma jaqueta e sai de casa para uma caminhada rápida. Há um cheiro estranho no ar. *Será que é fumaça?* Você olha em volta e percebe um filete de fumaça saindo de uma janela no andar de cima da casa de seus vizinhos. A casa está toda escura, com exceção de um brilho alaranjado sinistro que parece dançar por trás das cortinas.

Você corre até a casa, toca a campainha e depois bate forte à porta. Dá um passo para trás e grita:

— Ann, John, a casa de vocês está pegando fogo!

Ninguém responde.

Você gira a maçaneta. Está destrancada. Você abre a porta e a fumaça começa a sufocá-la. Depois de recuperar o fôlego, você grita em meio às chamas:

— Ann! John!

Eles parecem estar lá em cima. John e a esposa seguram firme o bebê enquanto as chamas se espalham pelo teto.

— Ajude-nos! — Ann grita enquanto as chamas sobem pelas escadas.

O ambiente inteiro está incendiado e o calor das chamas impede de respirar. Você quer ajudar, mas não há como chegar até eles.

Há algo pior do que observar alguém que você ama sofrer, sem poder fazer nada para ajudar? Embora eu nunca tenha me visto na porta de uma casa em chamas, já presenciei pessoas queridas e familiares sofrerem enquanto as chamas terríveis da tragédia, do vício em drogas, da doença, ansiedade, depressão e dificuldade financeira consumiam sua vida.

A boa notícia é que você e eu somos intercessoras. Isso significa que há algo que podemos fazer. Nós podemos orar, e nossas orações fazem a diferença. Aliás, nossas orações podem ser a escada de fuga à qual se agarram ou um balde de água fria capaz de apagar até as chamas mais quentes.

A mãe de T. D. Jakes entendia essa verdade. Ele explica: "Ela se tornou uma guerreira de oração, bem superior a qualquer herói épico. Ficava gigante de joelhos. Com uma espada em uma das mãos batalhou contra os inimigos da morte e da doença, ao passo que estendia a outra mão ao céu em busca do auxílio de Deus e de sua misericórdia".[1]

Em meu livro *Called to Pray* [Chamados para orar], eu conto a história de minhas orações pelos outros na manhã de 11 de abril de 2012.

> Assim que o sol começou a iluminar meu quarto, com os olhos da mente vi o que parecia um mapa climático com uma longa faixa de tempestades violentas se estendendo de Oklahoma a Dallas.
>
> Ouvi uma voz mansa e suave sussurrar a meu espírito.
>
> — Há tornados a caminho.
>
> Sentei-me na cama, tentando dispersar o sono.

— És tu, Senhor? — orei em silêncio.

— Ore contra os tornados e a morte — ele me instruiu.

E eu orei. Pedi que os tornados sobre Oklahoma se dissipassem e que não houvesse perda de vida com os tornados que eu sentia que de fato *atingiriam* a região de Dallas.

Mais tarde, naquela manhã, quando liguei o noticiário, vi o mesmo mapa climático que me fora mostrado quando despertei. Também assisti à filmagem de um tornado imenso jogando tratores de cinco toneladas pelo ar como se fossem peças de Lego.

Fiquei pasma.

Apesar de tudo que estava acontecendo na região de Dallas, parecia que Oklahoma havia sido poupada dessa tragédia terrível. Na manhã seguinte, no noticiário do canal ABC, os apresentadores Katie Couric e George Stephanopoulos conversaram sobre os dezoito tornados que haviam se formado no dia anterior no Texas, inclusive dois tornados grandes com ventos que chegaram a 250 quilômetros por hora. Katie disse:

— É chocante o fato de não ter havido mortes. Ainda bem!

Ao que George respondeu:

— Ainda bem! Mas é difícil entender olhando as imagens.

Assisti a mais filmagens dos grandes tratores voando e imagens de bairros destroçados. Centenas de casas foram atingidas, telhados arrancados de casas intactas e paredes perfuradas como se uma mão gigante estivesse jogando dardos em um alvo.

Tudo isso e nenhuma morte? Inacreditável![2]

Tudo que posso dizer é que Deus responde quando oramos pelos outros.

Orando pelos outros

O fato de Deus ouvir nossas orações e responder a elas é surpreendente. Mas esse é o poder da oração. A oração permite que levemos nossos amados ao trono do próprio Deus. Ela cria pontes sobre águas turbulentas que nossos amigos podem atravessar. Quando Julie Morris ora pelos outros, ela visualiza a pessoa por quem está orando ser tocada por Jesus ou abrigada em seus braços.[3] Eu amo essa imagem, porque a verdade é:

- A batalha é real.
- Jesus nunca se cansa de nossas orações pelos outros.

A batalha é real

Beth Moore afirmou: "Há partes de nosso chamado, obras do Espírito Santo e derrotas das trevas que só acontecerão por meio de oração incessante, cheia de fé, intensa e fervorosa".[4]

Um dos motivos para Deus nos chamar a dobrar os joelhos é para que possamos nos colocar na brecha pelos outros. Há alguns anos, passei alguns dias na grande ilha do Havaí, não muito longe do vulcão Kilauea. Os moradores locais me contaram: "Sabemos que vivemos em uma região de perigo. Entendemos isso. Mas essa é nossa realidade". A erupção do vulcão em 2018 causou impactos negativos para muitos desses habitantes. Alguns deles viram a própria casa se queimar nas chamas e ser soterrada por lava.

Viver nesta antiga Terra se parece muito com morar nos arredores de um vulcão, que pode entrar em erupção sem aviso prévio, espalhando drama e trauma sobre nós e os outros. Esperamos, é claro, que isso não aconteça, mas, quando acontece, confiamos em Deus e oramos. Em jogo estão o coração, a mente e a alma de nossos amigos, vizinhos e amados. E sim, há uma batalha real entre o bem e o mal, entre a esperança e o desespero, entre o certo e o errado, entre sobriedade e vícios, entre anjos e demônios.

Também sabemos, com base em passagens como Daniel 10, que, no mundo invisível à nossa volta, anjos travam batalhas contra principados e potestades demoníacos. Temos esse conhecimento porque Daniel estava extremamente preocupado com uma visão que tivera sobre uma grande guerra. Por isso, buscou ao Senhor por cerca de 23 dias com jejum e muita oração. Então algo extraordinário aconteceu. Enquanto Daniel estava com um homem junto ao rio Tigre, teve a visão de um ser a quem descreveu de forma bem semelhante ao retrato que João traçou do Cristo ressurreto em Apocalipse. Daniel disse: "Levantei os olhos e vi um homem vestido com roupas de linho e um cinto de ouro puro. Seu corpo era semelhante a uma pedra preciosa. Seu rosto faiscava como relâmpago, e seus olhos eram como tochas acesas. Seus braços e seus pés brilhavam como bronze polido, e sua voz era como o som de uma grande multidão" (Dn 10.5-6). Embora os homens não tenham conseguido enxergar esse visitante de outra dimensão à frente de Daniel, sentiram sua presença e se esconderam dele. E Daniel? Desmaiou e caiu como morto, até que o mensageiro-guerreiro o ergueu e o pôs de pé.

Então, conforme relata Daniel 10.12-14, o ser majestoso declarou:

> Não tenha medo, Daniel. Pois, desde o primeiro dia em que você começou a orar por entendimento e a se humilhar diante de seu Deus, seu pedido foi ouvido. Eu vim em resposta à sua oração. Por 21 dias, porém, o príncipe do reino da Pérsia me impediu. Então Miguel, um dos príncipes mais importantes, veio me ajudar, e eu o deixei ali com os reis da Pérsia. Agora estou aqui para explicar o que acontecerá com seu povo no futuro, pois essa visão se refere a um tempo que ainda está por vir.

Depois disso, Daniel recebeu uma revelação detalhada a respeito daquilo que costumamos chamar de fim dos tempos.

Não fica claro se esse mensageiro angelical seria ou não Jesus preexistente a seu nascimento como bebê em uma manjedoura. Mas é fato que o mensageiro era temível, majestoso e poderoso. Também sabemos que guerreou contra forças demoníacas que dominavam o reino da Pérsia, exatamente o governo no qual Daniel era súdito.

Às vezes, há retaliação por parte do inimigo quando oramos. Então, o que devemos fazer? Fazemos o mesmo que Daniel: ficamos firmes em oração e jejuamos até ouvir a resposta divina. Há algo que sabemos: Deus ouve nossas orações e a resposta está a caminho. A oração intercessora é uma batalha e, quando assumimos nossa posição nessa guerra, damos um dos presentes mais belos que se pode conceder aos outros.

Como fico feliz ao saber que há poder real na oração! Por que outra razão Jesus chamaria Pedro e os filhos de Zebedeu para orar com ele no jardim do Getsêmani antes de enfrentar a cruz? Por que se importaria se eles estavam orando ou não caso a oração não importasse? Por que Jesus ficou desalentado quando os encontrou dormindo? Disse-lhes: "Vocês não puderam vigiar comigo nem por uma hora?" (Mt 26.40). Isso me faz parar e pensar. Talvez Jesus olhe para nossos momentos de falta de oração e deseje que despertemos e vigiemos. Você se unirá a ele?

Jesus nunca se cansa de nossas orações pelos outros

A boa notícia é que nem toda oração precisa ser profunda, de batalha. Janet Holm McHenry afirmou: "Apenas ore pelo que você vê. Em todos os lugares por onde você passa, há um motivo de oração. Não é apenas algo que acontece em um lugar fechado, em seu escritório, ou no balcão da cozinha. Procure as necessidades à sua volta e faça uma oração rápida. Não precisa ser um longo discurso. Apenas dizer: 'Senhor, abençoa essas pessoas' basta. A oração do Pai-Nosso e os ensinos de Jesus sobre esse tema mostram que devemos fazer orações descomplicadas. Somos incapazes de impressioná-lo com o número de nossas palavras".[5]

Precisamos manter em mente, conforme debatemos antes, que, quando oramos pelos outros, estamos orando para Jesus, com Jesus, em Jesus e por meio de Jesus. Afinal, Jesus ama os outros ainda mais do que nós. E deseja que nós os levemos a ele.

Lembre-se da história dos homens que levaram o amigo paralítico a Jesus. Nosso Senhor não os repreendeu por estragarem o telhado a fim de conseguir baixar o amigo a seus pés. Jesus apoiou o encontro. E não só perdoou os pecados do amigo, como também o curou.

Quando oro pelos outros, imagino-me com o braço em volta da pessoa, na presença de Jesus, assim como os amigos do paralítico. Peço: "Jesus, tu podes curar esta pessoa, ajudá-la, mostrá-la que tu a amas?". E, claro, menciono também as necessidades específicas.

Como Jesus responde? Para começo de conversa, ele nunca diz: "Faça-me o favor! Por que está trazendo essa pessoa a minha presença *de novo*? É melhor deixá-la na lama do chiqueiro. Afinal, foi ela mesma que causou isso, certo? Já dei todas as chances e agora estou farto. Sua amiga está por conta própria. Não é mais bem-vinda aqui".

Não! Jesus não é assim. Ele morreu pelos outros, assim como por nós. E ama nossos amigos assim como nos ama.

Fica satisfeito ao ver que levamos outros a ele repetidamente. Por isso, não desanime. Não ache que está desgastando sua receptividade.

Jesus é como o pai da parábola que correu em direção ao filho havia muito perdido, quando este ainda estava longe de casa. Embora o filho tenha desperdiçado a herança e acabado morando em um chiqueiro, o pai o aceitou de volta de braços abertos.

Jesus fica feliz ao ver você levar outros à presença dele. Assim como você, ele observa e espera as pessoas se voltarem para ele e, mesmo que alguém ainda esteja distante, está pronto para correr na direção da pessoa e envolvê-la em seus braços. Contudo, ele jamais forçará o relacionamento, pois dá livre-arbítrio a cada um de nós. Ainda assim, nossas orações podem abrandar o coração de alguém, fazer a luz da verdade brilhar em seu entendimento, afastar a obra do inimigo e demonstrar o amor de Deus de uma forma que o outro compreenda.

LaDell Dudley ama orar pelas necessidades dos outros. Ela conta que, quando ora por uma amiga, diz mais ou menos o seguinte: "Senhor, trago minha amiga à sala do teu trono de graça. Obrigada, Senhor, por teu sangue derramado e por escolheres ajudar minha amiga hoje! Deixe-a saber que tu a amas! Revela-lhe que tu não estás irado com ela. Mostra-lhe o caminho nas circunstâncias atuais. Dá-lhe sabedoria além de seu entendimento. Declaro cura e libertação para seu corpo físico, por tudo aquilo que Jesus já providenciou na obra plenamente acabada da cruz. Em nome de Jesus, amém".[6]

Que oração poderosa! Outra grande guerreira de oração é a escritora Stormie Omartian, que disse certa vez: "A oração mais importante que podemos fazer pelos outros é para que conheçam melhor a Deus e que ele os ajude a entender sua vontade, a crescer em sabedoria espiritual e a ter uma vida que o honre. Podemos pedir que se tornem mais semelhantes a ele e que produzam o fruto de seu Espírito".[7] Eu gosto de acrescentar: "Senhor, que a luz da verdade dissipe toda escuridão para que essa pessoa te conheça melhor". Também não hesito em pedir cura espiritual e física, provisão ou qualquer outra coisa que aflija aqueles que estão em minha lista de oração.

Se nós não orarmos pelos outros, quem irá? Conforme a escrita Brenda Yoder me disse recentemente: "Você pode ser o único orando por aquela pessoa — então ore! Ore com a Palavra de Deus e agradeça a Deus pelas respostas, pois você já as conhece".[8]

~ Conselho de intercessão ~

Quando perguntei a Joy Schneider que imagem mental ela visualiza quando intercede por outros, sua resposta foi: "Com muita frequência, vejo-me escondida em Cristo enquanto proclamo textos bíblicos ou faço declarações na fé e na autoridade que tenho em Jesus Cristo. Imagino anjos prontos para ser colocados em ação por causa de minhas preces e sempre peço ao Pai que envie anjos ministradores para atuar nas necessidades existentes".[9]

Por favor, entenda: Joy não acredita que podemos dar ordem a anjos por conta própria. Ela explica: "Eles só agem quando o Pai vê que nosso pedido está em harmonia com as Escrituras. Por isso, em geral eu cito uma passagem bíblica que acredito que levará Deus a mandar o auxílio angelical".[10]

Joy não ora para os anjos, nem eu. Billy Graham confirma que essa não é uma boa ideia. Ele afirmou: "Não precisamos nos dirigir aos anjos, nem a qualquer outra criatura, em busca de guia. Se conhecemos a Cristo, temos tudo de que necessitamos nele e é somente a ele que devemos nos achegar".[11]

Qual é, então, o papel dos anjos? Graham explica: "Sim, Deus nos concedeu os anjos invisíveis, que são 'espíritos enviados para cuidar daqueles que herdarão a salvação' (Hb 1.14). Mas não devemos adorá-los, nem orar a eles. Quando o apóstolo João se prostrou para adorar um anjo que lhe fora enviado para instruí-lo quanto ao futuro, o anjo o repreendeu dizendo: 'Não faça isso! [...] Adore somente a Deus!' (Ap 22.9)".[12]

No que diz respeito às orações pelos outros, Joy acrescentou: "Sempre busco me lembrar de que não devemos sobrepor, em oração, nossa vontade à da outra pessoa. Oro pedindo que o Espírito Santo convença caso alguém esteja desencaminhado, mas acompanhando o pedido com uma oração do tipo: Jesus, tu disseste: 'E, quando eu for levantado da terra, atrairei todos a mim' (Jo 12.32). Por favor, levanta-te e atrai minha amiga tanto a ti quanto à tua justiça".[13]

Que bela oração! As orações em favor dos outros sempre são bonitas quando convidamos Jesus a agir na vida deles.

– Desembainhe sua espada –

Compartilhei neste capítulo diversas orações que minhas amigas e eu fazemos pelos outros. As passagens bíblicas a seguir nos incentivam a orar por outras pessoas.

> Eu, porém, lhes digo: amem os seus inimigos e orem por quem os persegue.
>
> Mateus 5.44

Por isso, desde que ouvimos falar a seu respeito, não deixamos de orar por vocês. Pedimos a Deus que lhes conceda pleno conhecimento de sua vontade e também sabedoria e entendimento espiritual. Então vocês viverão de modo a sempre honrar e agradar ao Senhor, dando todo tipo de bom fruto e aprendendo a conhecer a Deus cada vez mais. Oramos também para que sejam fortalecidos com o poder glorioso de Deus, a fim de que tenham toda a perseverança e paciência de que necessitam. Que sejam cheios de alegria e sempre deem graças ao Pai. Ele os capacitou para participarem da herança que pertence ao seu povo santo, aqueles que vivem na luz.

Colossenses 1.9-12

Quando penso em tudo isso, caio de joelhos e oro ao Pai, o Criador de todas as coisas nos céus e na terra. Peço que, da riqueza de sua glória, ele os fortaleça com poder interior por meio de seu Espírito. Então Cristo habitará em seu coração à medida que vocês confiarem nele. Suas raízes se aprofundarão em amor e os manterão fortes. Também peço que, como convém a todo o povo santo, vocês possam compreender a largura, o comprimento, a altura e a profundidade do amor de Cristo. Que vocês experimentem esse amor, ainda que seja grande demais para ser inteiramente compreendido. Então vocês serão preenchidos com toda a plenitude de vida e poder que vêm de Deus.

Efésios 3.14-19

Vocês podem pedir qualquer coisa em meu nome, e eu o farei, para que o Filho glorifique o Pai.

João 14.13

– Posicionadas em seus postos de oração –

Vamos transformar essas orações e promessas bíblicas em uma oração pelos outros. Ao fazê-lo, sabemos que estamos orando segundo a vontade de Deus, pois proferimos a Palavra de Deus no nome do Filho.

Querido Senhor,

Ajuda-me a amar aqueles que me odeiam. Ensina-me a dar graças a ti quando outros disserem coisas ruins a meu respeito. Oro por aqueles que têm procurado me ferir e me deter. Que eles conheçam teu amor, Senhor. Dá-lhes a luz da tua verdade, para que também se tornem seus filhos.

Assim como Paulo orou pelos outros, ajuda-me a orar por aqueles que colocaste em minha vida, incluindo ______. Ajuda-os a saber o que queres que eles façam. Enche-lhes da sabedoria e do entendimento que provêm do Espírito Santo. Que a vida deles agrade a ti a fim de que possam fazer todo tipo de boa obra e conhecer mais a teu respeito. Senhor, peço que teu grande poder os faça fortes e que tenham alegria enquanto esperam em ti sem desistir. Senhor, eu te agradeço por eles. Obrigada por criares oportunidades para podermos compartilhar as coisas boas que dás a nós, que pertencemos a ti e andamos em tua luz.

Enquanto penso em meus amados e amigos, ajoelho-me e peço que teus recursos gloriosos e ilimitados concedam poder a ______, a fim de que tenham força interior por intermédio de teu Espírito Santo. Cristo, vem fazer morada no coração deles à medida que confiam em ti. Que criem raízes em teu amor e se mantenham fortes. Que tenham poder para entender, conforme é apropriado para todo o povo de Deus, o tamanho, a altura, a largura e a profundidade de teu amor. Que experimentem o amor de Cristo, mesmo que seja grande demais para ser plenamente entendido. Que se tornem completos com toda a plenitude de vida e o poder que vêm de ti. Eu te agradeço, Jesus, porque farás essas coisas que peço ao Pai em teu nome, para que o Pai seja glorificado graças a ti.

Senhor, como creio que minhas orações estão de acordo com tua vontade e tua Palavra, peço-te que mandes o auxílio dos anjos para colocar em prática a tua Palavra na vida de ______.

Concordo com nosso grupo de oração para mover montanhas enquanto cada um faz essa prece por outras pessoas. Concordo que tua vontade responderá a suas orações e agirá na vida de seus amigos e amados de maneiras poderosas.

Em nome de Jesus, amém.

9

Oração por provisão

Não têm o que desejam porque não pedem.

TIAGO 4.2

Faça de conta que você conheceu um sujeito cheio da grana que lhe diz que você pode ficar com todo o dinheiro de que precisa se tão somente estender a mão.

Que maravilha!

Bem, imagine que esse mesmo sujeito leve você a um criadouro de serpentes, aponte para um pequeno buraco arenoso debaixo de uma pedra e diga:

— Você encontrará tudo de que necessita se enfiar a mão naquele buraco.

Provavelmente você faria algumas perguntas, do tipo:

— Então, o que exatamente tem lá dentro? Espero que não seja uma cobra...

Se o sujeito simplesmente der de ombros, sugiro que você fuja o mais rápido possível.

Por favor, entenda: não estou recomendando que você procure ouro dentro de buracos de serpentes. Você não precisa cometer tolices assim quando reconhece Deus como seu Provedor. Aliás, um dos muitos nomes de Deus é *Javé-Jiré*, "o Senhor proverá".

O Senhor proverá

O que exatamente Deus provê?

- Resposta às nossas necessidades.
- Provisão para outras pessoas.
- Sabedoria e soluções.
- Tudo de que precisamos para cumprir nosso chamado.

Deus provê resposta às nossas necessidades

O evangelista Dwight L. Moody disse certa vez: "Deus jamais faz promessas boas demais para ser verdade".[1]

É isso mesmo que você entendeu. Deus jamais nos levaria a fazer um acordo furado envolvendo cobras. Ele faz promessas *e* as cumpre. É um Deus digno de confiança, que atende a todas as nossas necessidades.

Um jovem pastor e sua esposa aprenderam essa lição. O casal se mudou da Califórnia para o Colorado a fim de que o marido John aceitasse o chamado de trabalhar com os jovens em uma igreja. Como não tinham condições financeiras para custear a própria moradia, oraram sobre essa necessidade. Deus respondeu proporcionando o porão da casa de um membro, onde puderam morar. Mesmo com essa doação, a renda não era suficiente para o sustento mensal, pelo menos não na teoria. No entanto, mês após mês, conseguiam pagar as contas, colocar gasolina no carro e comida na mesa. Mia, a esposa de John, explica: "Era extraordinário. Deus continuava a suprir até mais do que precisávamos".[2]

Esse jovem casal aprendeu que Deus era seu Provedor. A lição de que Deus provê é um dos primeiros tutoriais práticos que ele oferece no kit de fé para principiantes, dado a cada cristão. Digo isso porque nossas necessidades produzem oração e a oração produz resposta. A revelação de que Deus responde a nossas orações faz a fé crescer, e com isso aprendemos a confiar no Senhor de forma mais profunda. À medida que continuamos a crescer em fé, descobrimos como colocar todas as necessidades em suas mãos capazes. Deus pode não suprir nossas necessidades exatamente conforme imaginávamos, mas ele sempre provê.

A melhor parte de fazer uma parceria com Deus na provisão de nossas necessidades é que podemos, conforme explicou Martinho Lutero, "orar e deixar Deus se preocupar".[3]

Façamos uma oração por nossas necessidades neste momento.

Querido Senhor,

Eu e/ou ______ temos necessidades específicas que precisam ser supridas, incluindo ______. Eu cancelo qualquer concordância com carência, dúvida ou temor de que o inimigo me tente com essas necessidades. Declaro que confio que tu proverás tudo. De fato, entrego a ti todas essas necessidades e agradeço por cuidares de mim e de ______ com tua provisão.

Em nome de Jesus, amém.

Deus provê para outras pessoas

E se seu melhor amigo estivesse sem comida há dias? Se você tivesse algum dinheiro sobrando na carteira, você não pegaria o dinheiro e compraria uma refeição para ele? Com certeza!

Mas e se seu amigo enfrentasse uma necessidade urgente que você não teria condições de suprir? O que faria nesse caso?

Você dobraria a cabeça e oraria por seu amigo? Com certeza!

Foi o que Jó fez pelos amigos dele, mesmo depois que o difamaram por haver perdido tudo que possuía.

O problema já era grave o suficiente, mas, para piorar ainda mais, os amigos de Jó difamaram não apenas Jó, mas Deus também. Acabaram se colocando em situação de dívida para com Deus, uma dívida que não tinham condições de quitar.

Foi então que algo extraordinário aconteceu. Deus chamou Jó para orar pelos amigos e lhe deu um resultado inesperado. O texto de Jó 42.10 conta: "Quando Jó orou por seus amigos, o SENHOR o tornou próspero de novo. Na verdade, o SENHOR lhe deu o dobro do que tinha antes".

Não estou recomendando que você ore pelos outros a fim de obter ganhos pessoais, mas sugiro sim que Deus não só responderá a suas orações por necessidades e provisões dos outros, como também o abençoará nesse processo. Oremos agora pelas necessidades dos outros.

Querido Senhor,

Tu vês a necessidade que ______ tem de ______. Tu és não somente meu Provedor, mas o grande Provedor. Peço-te que supras a necessidade de minha amiga e também que a deixes saber que tu a amas e a seguras nas palmas de tuas mãos.

Em nome de Jesus, amém.

Deus provê sabedoria e soluções

Outras provisões prontas para ser entregues são sabedoria e soluções para nossos problemas. Quando buscamos a Deus, ele provê ambas. Certo casal descobriu que, embora tivesse recursos para pagar a prestação do financiamento imobiliário, não sobrava dinheiro algum no final do ano para pagar os impostos sobre a propriedade. O problema era que, se não pagassem os impostos dentro do prazo, seria gerada uma multa por atraso que eles não se viam com condições de quitar. Quando chegou o fim do prazo para o pagamento, perguntaram ao Senhor o que fazer. De repente, souberam qual era a solução. Colocaram a casa à venda e ela foi vendida quase que imediatamente, muito embora o mercado imobiliário estivesse em baixa. Com o dinheiro em mãos, o casal teve condições de pagar o imposto à vista, sobrando o suficiente para encontrar um novo lugar para morar e retomar a vida.[4] A solução que encontraram foi simples. Buscaram a Deus e, quando sua orientação ficou clara, eles a seguiram.

A sabedoria também faz parte do kit de fé para principiantes e é fácil acessá-la. Tiago 1.5-6 diz: "Se algum de vocês precisar de sabedoria, peça a nosso Deus generoso, e receberá. Ele não os repreenderá por pedirem. Mas, quando pedirem, façam-no com fé, sem vacilar, pois aquele que duvida é como a onda do mar, empurrada e agitada pelo vento".

Façamos a oração por sabedoria e por soluções.

Querido Senhor,

Dá sabedoria para mim e para ______. Supre a mim e a ______ com tuas soluções. Afasto para longe qualquer espírito de confusão e temor. Obrigada porque mostrarás a mim e a ______ para onde ir e o que fazer a partir de agora.

Em nome de Jesus, amém.

Deus provê tudo de que precisamos para cumprir nosso chamado

O que você faria diferente se tivesse a certeza de que sempre pode depender da provisão de Deus?

Pois você pode! Aliás, o Novo Testamento conta a história de uma ocasião em que Deus patrocinou uma viagem. Ele guiou um grupo de homens proeminentes até dois jovens pais e seu filho recém-nascido. Eles visitaram o bebê e deram de presente aos pais ouro, incenso e mirra. O que ninguém sabia era que Herodes, rei daquela região, estava prestes a promulgar um decreto ordenando a morte de todos os bebês meninos com menos de dois anos de idade. Antes, porém, que os soldados de Herodes marchassem a Belém, Maria e José já haviam fugido com o bebê Jesus. Sua viagem e seu exílio foram financiados pelos presentes dos sábios. A provisão divina veio antes mesmo que Maria e José soubessem que necessitariam dela.

Deus também cuidará de você e proverá tudo de que precisa para cumprir seu destino na vida.

Há vinte anos, conversei com uma jovem que queria ir a um congresso de escritores tanto para aprender como para fazer uma proposta de publicação. O problema era que ela havia ganhado alguns quilos e suas roupas sociais de trabalho não serviam mais. Ela estava preocupada. Não tinha nada para colocar na mala, nem dinheiro para comprar roupas novas. Então Amanda fez a única coisa que era possível. Pediu ajuda ao Pai celeste. No domingo seguinte, uma irmã da igreja a parou no corredor:

— Amanda, acho que vestimos o mesmo número. Estava organizando meu guarda-roupa e me lembrei de você. Gostaria de ficar com as roupas de trabalho e os terninhos que estou doando?

— Uau! Claro que sim! Seria uma resposta a minha oração — Amanda disse toda contente.

Posteriormente, vi Amanda no congresso com suas lindas roupas novas. Parecia que haviam sido feitas sob medida. E ela não precisou gastar um centavo.

Creio que Deus proveu para Amanda não só por amá-la, mas também para ajudá-la a cumprir seu chamado para que ela escrevesse um livro. Naquela semana, Amanda se reuniu com uma editora que contratou seu livro, o qual se tornou realidade porque ela estava no lugar certo na hora certa.

Quanto mais orarmos pedindo a visão divina para nossa vida, mais Deus suprirá cada necessidade nossa para cumprir essa visão. Conforme explicou Mark Batterson: "As orações são profecias. São os melhores indicativos de seu futuro espiritual. Quem você se tornará é determinado por sua maneira de orar. Em última instância, a transcrição de suas orações se torna o roteiro de sua vida".[5]

Deus se importa em prover para que cumpramos nosso chamado, e orar por provisão pode ser o próximo passo no cumprimento do propósito que Deus nos confiou. Batterson nos lembra: "Se a visão vem de Deus, definitivamente estará além de seus recursos".[6]

Oremos por provisão para nosso chamado.

Querido Senhor,

Peço tua provisão para mim e para ______ em todos os aspectos, em especial no que diz respeito a nosso chamado. Obrigada por cuidares de cada detalhe.

Em nome de Jesus, amém.

Passos para receber provisão

Não me entenda mal. Deus não escreve cheques em branco para satisfazer cada capricho, mas está pronto para suprir todas as nossas necessidades. Se você está buscando provisão ou se um de seus chamados de oração é ser um agente de provisão, incentivo-o a seguir estes passos:

- Confie que Deus ama você.
- Ore pedindo provisão.
- Confie que Deus proverá.
- Confie em Deus em meio à escassez.
- Agradeça a Deus aconteça o que acontecer.

Confie que Deus ama você

No livro *Battered Hope* [Esperança exaurida], a escritora Carol Graham fala sobre a ocasião em que quase atropelou um filhote de andorinha no meio de uma estrada movimentada.

> A adrenalina correu por todo meu corpo enquanto saí do carro no meio de um cruzamento e levantei as mãos como que tentando parar todo o trânsito. Carros buzinaram e pessoas xingavam obscenidades de todos os cantos, mas meu foco não estava neles. Eu sabia o que devia fazer. Precisava salvar aquela pequena andorinha e nada mais importava.
>
> A cada passo, minha determinação de salvá-la se intensificava. Abaixei-me e a peguei com gentileza, carregando-a para um lugar seguro, debaixo de um arbusto na esquina. Ao voltar para o carro, em vez de buzinas e xingamentos, ouvi aplausos por minha boa ação. Senti empolgação total.
>
> Então algo muito estranho aconteceu. Tive a forte sensação de que Deus estava falando ao meu coração: "Como você se sente?".
>
> Eu pensei: "Não é óbvio? Eu me sinto maravilhosa!".
>
> Tive a calorosa sensação de que ele estava sorrindo para mim. "Agora você tem uma ideia de como me sinto quando você cai e eu a pego e a coloco em um lugar seguro."[7]

Que ilustração maravilhosa do cuidado de Deus! O próprio Jesus disse: "Observem os pássaros. Eles não plantam nem colhem, nem guardam alimento em celeiros, pois seu Pai celestial os alimenta. Acaso vocês não são muito mais valiosos que os pássaros?" (Mt 6.26).

Deus não é como um vendedor engenhoso que foca tanto o próprio lucro que não se preocupa com o que é melhor para os clientes. Em vez disso, Deus age com amor, e é exatamente por isso que podemos confiar nele. Uma vez que ele vê o quadro mais amplo de nossa vida, quando lhe entregamos nossas dificuldades ele as usa para o bem. Conforme nos lembra Romanos 8.28: "E sabemos que Deus faz todas as coisas cooperarem para o bem daqueles que o amam e que são chamados de acordo com seu propósito".

Embora nem sempre entendamos seu propósito ou até mesmo seus métodos, podemos acreditar que ele é digno de confiança mesmo quando questionamos o motivo da demora, da mudança de planos ou do *não* a nosso pedido de oração. Só Deus conhece o futuro, além de saber quais são as melhores soluções para nossas orações. Max Lucado explicou: "Deus é capaz de realizar, prover, ajudar, salvar, manter, dominar... Ele pode tudo que você não pode. Ele já tem um plano. Deus não é pego de surpresa. Vá a ele".[8]

Ore pedindo provisão

A primeira coisa que precisamos fazer quando necessitamos de provisão é pedir a Deus. Tiago 4.2 explica: "Não têm o que desejam porque não pedem".

Faça seu pedido a Deus. Não suspire dizendo: "Deus é por todos, mas ai de mim!". Não ceda à decepção, nem ao medo. Se o fizer, perderá aquilo que o Senhor deseja realizar em sua vida.

Quando minha filha ficou ferida naquele terrível acidente de carro, eu sabia que precisaria de um milhão de dólares para tirá-la do hospital. O problema é que eu não tinha um milhão de dólares, e a seguradora não nos passava nenhuma segurança. Foi então que parei de olhar para dentro de meus bolsos e passei a olhar para o alto, na direção do céu. Eu disse a Deus: "Eu tenho este tanto para pagar as despesas médicas, por isso entrego a conta a ti". Não só a conta de um milhão de dólares foi paga, como também Deus supriu todas as necessidades de Laura, em resposta direta a minha oração.

Charles Stanley destacou: "Quando você tiver uma necessidade não atendida, primeiro precisa orar e dizer ao Senhor o que está enfrentando. A oração é um ato de fé. Declara sua confiança em Deus e na habilidade divina. Muitas vezes, ele permite que sobrevenha uma necessidade com o intuito de nos ensinar a confiar mais nele. Nenhum problema é complicado ou difícil demais para ele resolver".[9]

Por isso, não pense que suas orações por provisão são egoístas. Se você tem um relacionamento com Deus, ele já está envolvido com você. Quer que sua amizade com ele cresça e deseja lhe mostrar que é seu Provedor e que você pode confiar nele. Por isso, não seja tímida. Ele quer ver sua face em oração. E, ao orar, não seja genérica. Ore por detalhes e observe Deus responder de maneira específica!

Confie que Deus proverá

Então, para receber a provisão divina, devemos confiar que Deus proverá.

Abraão confiou em Deus mesmo quando Deus o instruiu a sacrificar seu filho sobre o altar. Mesmo enquanto a faca de

Abraão tremulava sobre o rapaz, creio que Abraão se lembrou da promessa divina de que seu filho seria o primeiro de uma nova nação. Deus viu a confiança de Abraão e o deteve de enfiar o punhal no coração de Isaque. Em vez de sacrificar o filho a Deus, Abraão sacrificou um carneiro que o Senhor providenciou. E Gênesis 22.14 diz: "Abraão chamou aquele lugar de Javé-Jiré. Até hoje, as pessoas usam esse nome como provérbio: 'No monte do SENHOR se providenciará'".

Abraão foi apenas um dos muitos grandes homens da Bíblia que confiou na provisão divina. Outro homem de confiança foi o profeta Elias. Deus proveu para Elias de muitas maneiras, que incluem as seguintes:

- Pão e carne: corvos levaram pão e carne para Elias (1Rs 17.6).
- Um plano de refeições: Elias se beneficiou da multiplicação diária e milagrosa do restinho de farinha e de um pingo de azeite de uma viúva pobre (1Rs 17.8-16).
- Um milagre de fogo: um forte fogo enviado do céu tragou um sacrifício encharcado de água, provando que Deus é o único Deus verdadeiro e Elias era seu profeta (1Rs 18.20-40).
- Chuva refrescante: Deus enviou chuva para dar fim à seca (1Rs 18.41-46).
- Um anjo: um anjo levou comida e água para Elias (1Rs 19.5-8).
- Instrução: Deus providenciou instruções para a unção de um novo rei e um novo profeta (1Rs 19.16).

É muita provisão! Agora é sua vez de confiar que Deus suprirá suas necessidades.

Confie em Deus em meio à escassez

Veja bem, não estou tentando angariar recursos, nem há um prato de ofertas escondido nas páginas deste livro. E, acredite ou não, não estou encabeçando uma campanha de construção. No entanto, quero sim lembrá-lo de uma verdade importante: Deus ama quem dá com alegria. Em 2Coríntios 9.6-7 lemos: "Lembrem-se: quem lança apenas algumas sementes obtém uma colheita pequena, mas quem semeia com fartura obtém uma colheita farta. Cada um deve decidir em seu coração quanto dar. Não contribuam com relutância ou por obrigação. 'Pois Deus ama quem dá com alegria'".

Se você tem uma necessidade financeira, por que não pedir a ajuda de Deus? Pergunte-lhe se há uma necessidade que você pode suprir, um ministério que você pode apoiar, um vizinho que precisa de alguns trocados. Então faça o que Deus colocar em seu coração. Com alegria, em amor e honra a Deus, dê como um ato de adoração.

E não se preocupe. Você nunca conseguirá dar mais do que Deus. Ele não está falido, nem conta moedas. Deus jamais precisa esvaziar os bolsos para suprir suas carências, pois ele provê com base na própria fartura. Confiar nele com seu pouco ou com sua escassez — para doar a uma causa além de si mesma — alegra seu coração. Quando você doa para aqueles que ele lhe mostra, Deus, por sua vez, supre suas necessidades.

Imagine um homem que se sentiu inspirado a colocar sua passagem de ônibus no prato de ofertas. Quando voltou à parada, não conseguia acreditar no que estava vendo! O valor exato de que precisava para pagar a passagem estava a seus pés. Sim, já ouvi histórias em que isso aconteceu, e, sim, é dessa forma que Deus trabalha. No entanto, nós não doamos para receber. Doamos porque confiamos em Deus, mesmo em meio à escassez.

Malaquias, profeta do Antigo Testamento, escreveu: "'Tragam todos os seus dízimos aos depósitos do templo, para que haja provisão em minha casa. Se o fizerem', diz o SENHOR dos Exércitos, 'abrirei as janelas do céu para vocês. Derramarei tantas bênçãos que não haverá espaço para guardá-las! Sim, ponham-me à prova!'" (Ml 3.10). Tudo que posso lhe dizer é que essa promessa já se mostrou verdadeira em minha vida. Por que não doar para ver se essa promessa se mostra verdadeira em sua experiência também?

Agradeça a Deus aconteça o que acontecer

O que aconteceria se você agradecesse a Deus por sua provisão que ainda está por vir? Uma oração como essa demonstraria sua confiança e fé em Deus.

Um homem chamado Bob vivia reclamando de sua escassez e de suas decepções. Certo dia, Bob se reuniu com seu pastor para explicar sua frustração:

— Sou um homem falido. Não tenho nada porque Deus nunca me ajuda.

Bob ficou chateado quando o pastor Rick não simpatizou com sua luta. Para completar, o pastor sugeriu que Bob fizesse uma lista de dez coisas pelas quais poderia ser grato a Deus.

Bob ficou ofendido.

— Não vai dar, pastor. Não está vendo a situação da minha vida? Como eu lhe disse, não tenho nada.

Mesmo assim, o pastor Rick pediu a Bob que completasse a tarefa da lista e a trouxesse com ele na semana seguinte. A única coisa na lista de Bob era gratidão porque o pastor havia se dado ao trabalho de se reunir com ele.

Semana após semana, o pastor continuou a pedir a Bob que fizesse uma lista de motivos de gratidão. Com o passar do tempo, algo extraordinário aconteceu. Bob começou a descobrir suas bênçãos e a agradecer a Deus por elas. Em pouco tempo, também passou a receber respostas maravilhosas a suas orações.

As bênçãos de Deus estavam lá o tempo inteiro. Agora Bob conseguia enxergá-las porque finalmente viu além das próprias frustrações. Hoje ele é um homem muito mais feliz, e sua transformação começou quando aprendeu a contar as bênçãos e a agradecer a Deus por elas.

Escreva suas bênçãos, então pare um pouco e agradeça cada uma delas a Deus.

1. ____.

2. ____.

3. ____.

4. ____.

5. ____.

6. ____.

7. ____.

8. ____.

9. ____.

10. ____.

Pratiquemos agora o que acabamos de aprender sobre provisão.

Querido Senhor,

Eu confio que tu me amas. Peço-te provisão por ______. Declaro que confio que tu proverás tudo de que necessito e confio em ti em meio a cada escassez. Agradeço por todas as minhas bênçãos e, em todas as situações, sei que estás providenciando e me abençoando.

Em nome de Jesus, amém.

Uma palavra aos agentes de provisão

No livro *Intercessors* [Intercessores], as autoras Elizabeth Alves, Barbara Femrite e Karen Kaufman destacam que o jovem José, com seu casaco de muitas cores, era um intercessor financeiro. Pense nisso! Primeiro, Deus concedeu uma visão a José. Depois, deixou-o em um período de prova, ensinando-o a esperar e a ouvir sua voz. Em seguida, colocou-o em posição de liderança, a fim de poder distribuir grãos em um período de fome. Deus criou José para ser um agente de provisão, ou seja, uma pessoa que Deus usa para prover aos outros.

Se seu chamado ou sua missão inclui orar pedindo provisão para outras pessoas, o livro *Intercessors* lista algumas ideias que podem ajudar em sua jornada de oração:

- Peça a Deus uma visão, um plano ou um valor a ser usado por ele, em vez de correr atrás de ser abençoado.
- Nunca compartilhe o plano de Deus com pessoas que não têm os interesses do reino no coração.
- Espere que as promessas de Deus sejam adiadas e atacadas.

- Reconheça que rejeições humanas costumam ser uma forma de proteção divina.
- Não leve para o lado pessoal quando outros ficarem com inveja.
- Reconheça que, tanto na prisão quanto em um palácio, Deus é capaz de usar você.[10]

São dicas tremendas para ajudar você em sua jornada de intercessão. E não se esqueça de doar enquanto Deus o chama. Não tenha medo de doar, mas jamais tente assumir o papel de Deus, satisfazendo necessidades por orgulho. Além disso, não fique ressentida quando outros não sentirem a necessidade de doar para sua causa. Em vez de pressioná-los, deixe Deus chamá-los. Caso contrário, você não estará andando em confiança e fé.

~ Conselho de intercessão ~

Carol Graham aconselha a citarmos a solução em oração, não o problema. Com isso, quer dizer que, em vez de orar a respeito de nossas dificuldades, devemos mencionar a solução e as promessas da Palavras de Deus, pois, conforme explica, "Deus honrará sua Palavra". Carol acrescenta: "A fé vem pelo ouvir, e ouvir a Palavra de Deus. Quando verbalizamos as Escrituras, ouvimos a Palavra e edificamos nossa fé".[11]

Assim, por exemplo, em vez de agonizar em oração por uma conta que você não tem condições de pagar, dizendo: "Senhor, o que eu vou fazer? Preciso de dinheiro agora!", você deve buscar nas Escrituras uma promessa à qual pode se apegar, como 2Coríntios 9.8: "Deus é capaz de lhes conceder todo tipo de bênçãos, para que, em todo tempo, vocês tenham tudo de que precisam, e muito mais ainda, para repartir com outros". Então pode orar citando a Palavra em uma prece como esta: "Senhor, obrigada porque és capaz de me conceder todo tipo de bênçãos, para que, em todo tempo, eu tenha tudo de que preciso em relação a minhas contas. Tu ainda me dás de sobra para que eu reparta com os outros". Orar assim lembra você de confiar na realidade de que Deus é a solução para todos os problemas.

Carol diz: "Lembre-se de que somente Deus sabe o fim de nossa história. Quando mencionamos a resposta em oração, devemos confiar que Deus realizará aquilo que prometeu. É importante agradecer a ele por essas respostas todos os dias. Quanto mais o fazemos, maior o impacto sobre nós. Nossa fé cresce e logo veremos a manifestação desse crescimento".[12]

Carol sabe por experiência própria que isso é verdade. Ela explica: "Nossa empresa estava falindo rapidamente por causa da recessão econômica e nossa loja estava infestada de ratos. Nossos esforços para nos livrar deles haviam falhado miseravelmente. Após onze meses com lucro muito baixo, precisaríamos fechar. Deus me mostrou que eu deveria ser grata pelos ratos, em vez de pedir que ele os eliminasse. Quase que de imediato surgiu uma oportunidade de mudarmos a loja para outro local. Agora nossa empresa está indo de vento em popa. Deus já conhecia o fim de nossa história. Tudo que precisávamos fazer era nos lembrar de agradecer a ele sua provisão e prosperidade".[13]

Quando Carol começou a agradecer a Deus em todas as coisas, inclusive pelos ratos, descobriu que o louvor se tornou o segredo para seu milagre. Foram os ratos que instigaram a mudança para uma localização mais favorável.

Chegou o momento de estudar algumas promessas divinas de provisão, para que possamos orar com base na Palavra.

– Desembainhe sua espada –

A fim de nos ajudar em nossas orações por provisão, identifiquei algumas espadas maravilhosas para usarmos.

> Querem o que não têm [...]. E, no entanto, não têm o que desejam porque não pedem.
>
> Tiago 4.2

> Assim, aproximemo-nos com toda confiança do trono da graça, onde receberemos misericórdia e encontraremos graça para nos ajudar quando for preciso.
>
> Hebreus 4.16

> E esse mesmo Deus que cuida de mim lhes suprirá todas as necessidades por meio das riquezas gloriosas que nos foram dadas em Cristo Jesus.
>
> Filipenses 4.19

> Até mesmo os leões jovens e fortes passam fome,
> mas aos que buscam o Senhor nada de bom faltará.
>
> Salmos 34.10

– Posicionadas em seus postos de oração –

Querido Senhor,

Agradeço por poder comparecer diante de ti com minhas necessidades e com as necessidades de ______, incluindo ______.

Reconheço a culpa por me preocupar com minhas necessidades, em vez de te pedir que as supra. Obrigada por que és meu Provedor e me ajudarás. Por isso, agora eu me aproximo com toda confiança de teu trono a fim de encontrar graça e misericórdia para todas as minhas necessidades. Sei que suprirás tudo de que preciso por meio das riquezas gloriosas que me foram dadas em Cristo Jesus. Tu és meu Pai celeste e te busco. E, por te buscar, nada de bom me faltará. Enquanto espero tua provisão, abre meus olhos para as necessidades que desejas que eu supra em honra a ti. Também peço tua provisão para todos os que se unem a mim em nosso grupo de oração para mover montanhas. A ti minha gratidão, Senhor!

Em nome de Jesus, amém.

10

Oração por cura

> Essa oração de fé curará o enfermo, e o Senhor o restabelecerá. E, se cometeu algum pecado, será perdoado.
>
> Tiago 5.15

Imagine que você está doente e precisa apenas de uma dose de um medicamento comum para viver, mas o médico se recusa a receitá-lo. Se você não tomar a medicação, será uma das cinquenta mil pessoas que morrerão hoje de causas evitáveis, como acidente, desnutrição, falta de remédio ou doença tratável com remédios.[1]

Consigo me identificar com esse cenário. Quando minha linda filha deficiente tinha seis anos de idade, desenvolveu uma infecção urinária que resultou em sepse, infecção grave e por vezes fatal que leva o sistema imunológico a atacar o corpo. Tão logo percebemos o quanto ela estava mal, fomos correndo para o hospital. O médico deu um único olhar para minha filha que dormia, notou a cadeira de rodas e me disse:

— Essa doença pode ser a maneira de Deus para ajudá-la a se despedir de sua filha. Posso não prescrever o antibiótico. O que você quer que eu faça?

Minha voz foi firme:

— Dê o remédio!

Ele tentou mais uma vez, dessa vez falando devagar, para que eu pudesse entender melhor.

Novamente, eu respondi:

— Dê a ela o antibiótico.

E ele o fez. Após o tratamento, Laura voltou a si. O médico foi vê-la e a encontrou rindo e cantando na cama. Com lágrimas nos olhos, ele se sentou na ponta da cama e disse:

— Desculpe-me. Eu não fazia ideia.

Ele não fazia ideia do quê? De que Laura era uma pessoa de verdade, apesar da deficiência? Se eu tivesse deixado de medicá-la, teria perdido anos aproveitando a vida maravilhosa de minha filha. Deficiente ou não, era minha amada menina.

Quando penso nessa história, também me recordo das promessas na Palavra, muito semelhantes a um remédio para o corpo.

Minha amiga Carole tinha sido curada de um tumor no pâncreas havia décadas. Por isso, fui pega de surpresa quando ela me ligou e disse:

— Más notícias. Estou com um novo tumor no pâncreas que tomou metade do órgão. O médico disse que um tumor desse tamanho significa câncer cem por cento das vezes.

Minha reação? Dei risada.

— Isso é ridículo, Carole. Nós duas sabemos que você tem promessas de Deus sobre sua vida que ainda não se cumpriram. Isso significa que seu tumor não é câncer.

Como eu pude falar com tamanha ousadia? Por dois motivos. Em primeiro lugar, Deus ajudou minha fé a crescer. Segundo, porque Filipenses 1.6 diz: "Estou convencido de que aquele que começou boa obra em vocês, vai completá-la até o dia de Cristo Jesus". Essa passagem bíblica foi como o remédio que aplicamos ao diagnóstico médico. Carole concordou comigo.

— Você está certa! O médico nunca encontrará um câncer.

O médico de Carole ficou muito surpreso ao descobrir que o tumor de Carole, além de ser benigno, ainda estava encolhendo.[2] Eu não fiquei surpresa, pois Carole havia tomado o remédio certo: a Palavra de Deus com uma dose de fé.

Se você já ficou surpresa quando Deus não curou, tenho uma mensagem para você mais abaixo.

Primeiro, porém, gostaria de falar sobre o remédio da Palavra de Deus. Podemos aplicar esse tipo de medicamento para nossa vida, bem como para a vida de familiares e amigos. Não dou crédito a quem diz: "Deus não realiza curas nos dias de hoje". E há um motivo bem especial para isso: posso falar por experiência própria. Deus tirou minha filha de um coma que durou um ano após um acidente de carro. Deus curou completamente meu irmão de um dano paralisante à coluna. Deus me curou de enxaquecas, dores nas costas e muitos outros problemas menores de saúde. Deus curou pessoas por quem tive o privilégio de orar, livrando-as de dores, depressão e câncer. Por isso, não venha me dizer que Deus não cura hoje em dia. Já o vi fazer exatamente isso!

Talvez você esteja pensando: "Espere um pouco, Linda! Você disse que sua filha usava cadeira de rodas. E que ela morreu".

Sim, é verdade. E preciso dizer que há mistérios para os quais só o céu dará a resposta. Por enquanto, reúno esses mistérios em uma pasta chamada "Confie em Deus mesmo assim" e a entrego a ele. Quando eu chegar ao céu, sem dúvida essa pasta perderá o mistério. Por enquanto, porém, continuarei a confiar em Deus.

Um dia desses, eu estava participando de um culto quando pediram a cada um que orasse pela pessoa sentada ao lado. Enquanto eu orava por uma jovem deficiente em uma cadeira de rodas, ela virou o rosto para mim, sorriu e disse:

— Lá, lá, lá, lá, lá!

Eu devo ter feito cara de confusa, porque o pai da moça se virou para mim e disse:

— Você não está entendendo. A Rachel não consegue pronunciar a letra "l".

Eu perguntei:

— Rachel, seu papai é legal?

Ela se virou para ele e, pela primeira vez na vida de forma clara, declarou:

— Sim, o papai é muito legal.[3]

Vários dias depois, contei para um conhecido o que havia acontecido e, em vez de se alegrar comigo, ele me olhou meio desacreditado e perguntou:

— Você não é a mulher cuja filha acabou de morrer?

Com base na expressão facial dele, percebi que ele acreditava, de alguma forma, que Deus não responderia a minhas orações porque eu tinha uma mancha no currículo.

É verdade que Deus não operou em minha filha todas as curas que pedi. Ele jamais curou sua visão, nem permitiu que ela andasse. Embora tenha curado meu irmão da paralisia, o Senhor permitiu que minha filha permanecesse na cadeira de rodas por 28 anos. Concordo que é um paradoxo, porém Deus respondeu a minhas orações inúmeras vezes. Ele despertou minha menina do coma e concedeu tanto a ela quanto a minha família seu amor, sua paz, alegria e provisão sobrenaturais em meio a tudo. Isso também não foi um milagre? E embora sinta saudade profunda de Laura, eu me alegro em saber que ela está agora desfrutando cura completa no céu. No que se refere à cura, posso lhe garantir que Deus continua a curar as pessoas por quem oro, além de sarar meu coração partido.

A cantora cristã contemporânea Laura Story fez uma excelente pergunta: "Deixarei as circunstâncias determinarem minha visão de Deus, ou permitirei que Deus determine como eu enxergo as circunstâncias?".[4] Eu também tenho uma pergunta: Deixaremos de crer que Deus é capaz de curar só porque ele às vezes diz não?

Não eu. Continuarei a clamar por milagres e confiarei em Deus, mesmo quando suas respostas não se alinharem com todas as esperanças de minha lista de oração.

Há alguns dias, eu estava palestrando em um congresso para escritores quando Michele me contou que seu esposo, Fran, que estava a seu lado, vinha sofrendo dores terríveis nos quadris. Minhas amigas Joy, Marti e eu nos entreolhamos.

— Quer que oremos por você, Fran? — perguntei.

— Seria ótimo — ele respondeu

Então, Joy, Marti e eu nos revezamos, cada uma orando pelo casal. Quando chegou minha vez, eu disse a Fran:

— Romanos 8.11 diz: "E, se o Espírito de Deus que ressuscitou Jesus dos mortos habita em vocês, o Deus que ressuscitou Cristo Jesus dos mortos dará vida a seu corpo mortal, por meio desse mesmo Espírito que habita em vocês". Oro para que o Espírito Santo que já habita em você, dê vida a seu corpo mortal e cure sua dor, no nome poderoso de Jesus.

Depois de orar, perguntei:

— Como você se sente agora?

— Sem dor, completamente sem dor! — respondeu Fran.

Naquela noite, Fran saiu para correr livre de dor e, uma semana depois, Michele me mandou um e-mail: "Os quadris de

Fran continuam curados! Isso é demais! Muito, muito obrigada pelas palavras e orações".[5]

Sim, graças a Deus!

O ministério de cura de Jesus

Sabemos que Jesus foi ungido pelo Espírito para pregar o evangelho aos pobres, curar os quebrantados de coração, pregar libertação aos cativos, dar visão aos cegos, levar liberdade a todos os oprimidos (Lc 4.18). Jesus demonstrou sua unção e seu chamado para a cura ao:

- Expulsar espíritos malignos.
- Abrir os olhos de cegos.
- Curar febre e outras doenças.
- Curar coxos e paralíticos.
- Curar leprosos de sua doença na pele.
- Restaurar uma mão ressequida.
- Curar a mulher com fluxo de sangue.
- Curar surdos e mudos.
- Curar hidropisia.
- Restaurar uma parte amputada do corpo (orelha).
- Ressuscitar mortos.

Nada era difícil demais para Jesus. Ele curava a todos que o buscavam.

Certa vez, uma mulher com fluxo contínuo de sangue estendeu a mão e tocou silenciosamente as bordas de seu manto. Jesus sentiu poder sair dele e destacou elogiosamente o gesto da mulher: "Filha, sua fé a curou. Vá em paz. Seu sofrimento acabou" (Mc 5.34). Em apenas um instante, a fé dessa mulher em Jesus restaurou não só sua saúde, mas também seu lugar na sociedade, pois ela deixou de ser considerada impura.

Jesus também ordenou que seus seguidores curassem os enfermos. Conforme relata Lucas 9.1-2: "Jesus reuniu os Doze e lhes deu poder e autoridade para expulsar todos os demônios e curar enfermidades. Depois, enviou-os para anunciar o reino de Deus e curar os enfermos". E também lhes disse: "Tenham fé em Deus. Eu lhes digo a verdade: vocês poderão dizer a este monte: 'Levante-se e atire-se no mar', e isso acontecerá. É preciso, no entanto, crer que acontecerá, e não ter nenhuma dúvida em seu coração. Digo-lhes que, se crerem que já receberam, qualquer coisa que pedirem em oração lhes será concedido" (Mc 11.22-24).

Parceria com Deus para curar

A promessa extraordinária de Deus em Marcos 11 revela três coisas de que necessitamos para nos aliar a Deus a fim de mover montanhas para curar.

Precisamos:

- Ter fé.
- Pedir.
- Permanecer firmes nas promessas de Deus.

Ter fé

Era somente Jesus que tinha fé suficiente para curar os enfermos? Não. Os discípulos também tinham. Após a morte e ressurreição de Cristo, os discípulos, homens comuns, deram continuidade ao ministério de cura de Jesus.

Certo dia, Pedro e João foram ao templo de tarde orar. Um paralítico era carregado para pedir esmolas junto à porta do santuário. Quando viu Pedro e João, ele estendeu a mão e pediu uma esmola. A fé cresceu dentro de Pedro e ele disse ao homem: "Olhe para nós!". O coxo olhou avidamente, na expectativa de receber algumas moedas.

Pedro lhe disse: "Não tenho prata nem ouro, mas lhe dou o que tenho. Em nome de Jesus Cristo, o nazareno, levante-se e ande!". Depois Pedro segurou o aleijado e o ajudou a levantar-se. O que aconteceu? "No mesmo instante, os pés e os tornozelos do homem foram curados e fortalecidos. De um salto, ele se levantou e começou a andar. Em seguida, caminhando, saltando e louvando a Deus, entrou no templo com eles" (At 3.6-8).

A multidão ficou perplexa, mas Pedro advertiu as pessoas a respeito de como elas haviam tratado Jesus: "Vocês rejeitaram o Santo e Justo e, em seu lugar, exigiram que um assassino fosse liberto. Mataram o autor da vida, mas Deus o ressuscitou dos mortos. E nós somos testemunhas desse fato! Pela fé no nome de Jesus, este homem que vocês veem e conhecem foi curado. A fé no nome de Jesus o curou diante de seus olhos" (At 3.14-16).

A cura terminou com o fim da era do Novo Testamento, ou ainda recebemos a missão de orar pelos enfermos? Leiamos o que Tiago escreveu a esse respeito. Ele disse: "Alguém está doente? Chame os presbíteros da igreja para que venham e orem sobre ele e o unjam com óleo, em nome do Senhor. Essa oração de fé curará o enfermo, e o Senhor o restabelecerá. E, se cometeu algum pecado, será perdoado" (Tg 5.14-15).

Isso quer dizer que pessoas comuns, que não sejam um dos discípulos originais, podem orar pelos enfermos e vê-los se recuperar. Tudo que é necessário é fé no nome de Jesus. Mas quanto de fé é suficiente? Quando os discípulos pediram a Jesus que lhes aumentasse a fé, ele disse: "Se tivessem fé, ainda que tão pequena quanto um grão de mostarda, poderiam dizer a esta amoreira: 'Arranque-se e plante-se no mar', e ela lhes obedeceria" (Lc 17.6). Jesus quis dizer que necessitamos de uma fé tão minúscula quanto uma semente de mostarda, ou que precisamos do tipo de fé necessário para uma pequenina semente de mostarda crescer e se transformar em uma árvore enorme?

Consultei minha concordância Strong para conferir a palavra *quanto* em "tão pequena quanto um grão de mostarda" e descobri que, nessa passagem, *quanto* é a palavra grega *hōs*, que significa: "como, assim como, de acordo com, da mesma maneira que".[6] Logo, se tivermos tanta fé quanto (como, tal como, ainda que como, de acordo com, da mesma maneira que) um grão de mostarda, podemos ordenar a árvores que saiam da terra, se desloquem e se replantem no mar. É muita fé!

A boa notícia é que, quando fincamos raízes em Jesus, podemos ter esse tipo de fé. Podemos começar essa busca pedindo a Cristo mais fé. O pai do menino endemoninhado pediu mais fé quando disse a Cristo: "Eu creio, mas ajude-me a superar minha incredulidade" (Mc 9.24). O resultado foi que Jesus respondeu à oração do pai e libertou o menino.

Você pode se perguntar: "Por que Deus precisa de minha fé? Ele pode curar os enfermos sem minha participação". Conforme explicou Watchman Nee, líder da igreja na China no século 20: "Tudo isso acontece pelo simples motivo de que Deus não deseja fazer nada de maneira independente, porque ele escolhe trabalhar em cooperação com os seres humanos. Ele tem o poder, mas necessita de nossas orações para colocar os trilhos a fim de que o trem de sua vontade passe por cima. Quanto mais trilhos colocamos, mais abundantes serão as obras de Deus. Logo, nossas orações servirão ao propósito de montar uma rede espiritual gigantesca de trilhos. E quanto mais, melhor!".[7]

Peçamos a Deus mais fé!

Querido Deus,

Quero ter uma fé tão perseverante quanto de uma minúscula semente de mostarda. Aumenta minha fé e ajuda-me a superar a incredulidade. Ajuda-me a manter os olhos fixos em ti, para que eu não enxergue o impossível, mas, sim, as possibilidades, pois tudo é possível por teu intermédio.

Em nome de Jesus, amém.

Pedir

A fé é necessária para a cura, mas também precisamos pedir. Tiago 4.2 diz: "Querem o que não têm, e até matam para consegui-lo. Invejam o que outros possuem, lutam e fazem guerra para tomar deles. E, no entanto, não têm o que desejam porque não pedem". Em outras palavras, precisamos aprender a arte de pedir. Mas também precisamos continuar pedindo.

No capítulo 6, falamos sobre a parábola que Jesus contou para nos lembrar de orar e jamais desistir. Conforme você deve se recordar, uma viúva precisou comparecer diante de um juiz injusto que não se importava em nada com a causa dela. Mas a viúva não permitiu que a apatia do juiz, nem que a falta de fé em Deus a detivesse de apresentar constantemente seu caso. Jesus contou: "Por algum tempo, o juiz não lhe deu atenção, mas, por fim, disse a si mesmo: 'Não temo a Deus e não me importo com as pessoas, mas essa viúva está me irritando. Vou lhe fazer justiça, pois assim deixará de me importunar'". Então o Senhor disse: "Aprendam uma lição com o juiz injusto. Acaso Deus não fará justiça a seus escolhidos que clamam a ele dia e noite? Continuará a adiar sua resposta? Eu afirmo que ele lhes fará justiça, e rápido!" (Lc 18.4-8).

Temos a permissão de clamar a Deus, de pedir e continuar rogando. Quando pedimos, Deus se move em nosso favor.

Ao orar pelos enfermos, jamais pense que Deus não se importa, ou que suas orações não fazem a diferença. Alexis Carrel, médico que ganhou um prêmio Nobel em 1912, disse certa vez: "A oração é uma força tão real quanto a gravidade terrestre. Ao praticar a medicina, já vi pessoas serem erguidas da enfermidade pelo poder da oração. Trata-se da única força do mundo que supera as leis da natureza".[8]

Você também pode liberar esse poder diante das doenças ou enfermidades, quando pedir cura a Deus. Peça a ele com toda a força da fé que conseguir reunir, conservando os olhos nele o tempo inteiro, pois, conforme o pai do menino possuído por um espírito maligno descobriu, ao olhar a face de Jesus, descobrimos que ele verdadeiramente é o autor e consumador de nossa fé.

Façamos uma parceria com Deus e oremos.

Querido Senhor,

Eu te peço cura por ______. Faço uma parceria contigo para estender vida abundante, cura e libertação. Enquanto olho para ti, peço-te que te tornes o autor e consumador de minha fé.

Em nome de Jesus, amém.

Permanecer firmes nas promessas de Deus

Às vezes, vejo o Senhor curar o coração partido de mulheres que sofreram abuso. Um caso na Califórnia chamou minha atenção. Minha amiga Joan e eu estávamos orando por uma jovem que havia acabado de sair de um relacionamento abusivo. Sem saber nada sobre a situação dela, Joan lhe disse que o Senhor queria que ela soubesse o quanto era linda. Quando a jovem começou a chorar, Joan, como uma mãe que consola uma criança a soluçar, a envolveu em seus braços. Enquanto ela chorava, Joan lhe sussurrou promessas amorosas da Palavra de Deus: você é bela (Ct 4.7). Você é obra-prima de Deus (Ef 2.10). Você é mais valiosa que rubis (Pv 31.10). Deus a ama tanto que escreveu seu nome na palma de sua mão (Is 49.16). Você está em Cristo e isso a torna mais do que bonita (Rm 8.1). Você é recoberta do amor de Deus e é belíssima para ele (1Jo 3.1-2).

Aquela mulher soluçava aliviada enquanto essas promessas começavam a curar as feridas emocionais profundas do abuso, causado em parte por palavras que haviam zombado dela por ser feia e indigna de ser amada. Quando a jovem finalmente se afastou dos braços de Joan, havia sido transformada pela beleza do amor de Deus. Paz brilhava de sua face e uma nova calma irradiava de seu coração. Foi uma cura emocional incrível que aconteceu pelo poder das promessas de Deus.

O Senhor está pronto para transformar você e seus amados com as promessas que fez. Aliás, o texto de 2Pedro 3.9 diz: "Na verdade, o Senhor não demora em cumprir sua promessa, como pensam alguns. Pelo contrário, ele é paciente por causa de vocês". O que exatamente ele está esperando? Ele aguarda você orar na vontade dele, pelo poder de sua Palavra. Caso contrário, você estará se firmando em desejos desprovidos de qualquer poder.

Como mudar de desejos para orações? É preciso abrir a Bíblia para escavar as promessas preciosas que você pode reivindicar pela fé em concordância com Deus. Então é necessário fazer uma oração de promessa. Stormie Omartian explica: "A oração de promessa é simplesmente uma oração que incorpora as Escrituras. Quando você insere as promessas de Deus em suas orações, coisas poderosas acontecem. Isso ocorre porque a Palavra de Deus confere mais peso ao que você diz. Ela também amplia sua fé e incentiva a crer nas respostas a suas orações. Citar as promessas de Deus em oração ajuda também a orar em harmonia com a vontade do Senhor".[9]

Vejamos 1Pedro 2.24, que diz: "Ele mesmo carregou nossos pecados em seu corpo na cruz, a fim de que morrêssemos para o pecado e vivêssemos para a justiça; por suas feridas somos curados". Se fôssemos transformar essa promessa em oração, poderíamos dizer algo do tipo:

Querido Senhor,

Obrigada porque carregaste meus pecados na cruz, a fim de que eu pudesse morrer para o pecado e viver para a justiça. Declaro que recebi a cura, pois estou em concordância com tua Palavra, que diz que por tuas feridas somos curados.

Em nome de Jesus, amém.

Quando você ora citando as promessas de Deus, pode ter certeza de que está orando de acordo com a vontade dele, da maneira dele e com o poder da espada do Espírito, que é a Palavra de Deus.

Orar mencionando as promessas de Deus com fé é uma combinação vitoriosa de oração. Dwight Moody, citado por Warren W. Wiersbe, disse: "Deus jamais fez uma promessa boa demais para ser verdade".[10] Wiersbe acrescentou: "Mas cada promessa precisa ser reivindicada com fé. A menos que as promessas divinas sejam unidas 'com fé' (Hb 4.2), elas nada realizam. [...] As promessas de Deus fazem a diferença entre fé e presunção".[11]

Não teria chegado o momento de você começar a colecionar promessas às quais se agarrar? Mark Batterson nos desafia: "Não se contente apenas em ler a Bíblia. Comece a circular as promessas. Não faça apenas um pedido. Escreva uma lista de objetivos de vida que glorifiquem a Deus. Não se contente apenas em orar. Faça um diário de oração. Defina seu sonho. Reivindique suas promessas. Pronuncie seu milagre".[12]

– Conselho de intercessão –

Minha amiga Julie Morris tem outra dica maravilhosa para nós. Ela me disse: "Antes de orar, faço uma festa de M&Ms! Eu Memorizo e Medito na Palavra de Deus". Sim! "A fé vem por ouvir, isto é, por ouvir as boas-novas a respeito de Cristo" (Rm 10.17).

Depois que Julie termina de meditar em uma promessa da Palavra, ela reescreve a mensagem na qual meditou, como se Deus estivesse falando pessoalmente com ela. Julie conta: "Por exemplo, não faz muito tempo, eu estava preocupada com alguns problemas de saúde que vinha sofrendo. Naquela manhã, meditei em Deuteronômio 33.12: 'Benjamim é amado pelo SENHOR e vive em segurança ao seu lado. Ele o protege continuamente e o faz descansar sobre seus ombros'". Ao reescrever a passagem como uma carta de Deus para mim, as seguintes palavras fluíram da caneta: "Julie, eu te amo e te convido a descansar a cabeça em meu peito e repousar entre meus ombros. Eu sou teu escudo contra qualquer dano e estou cuidando de você. Portanto, descanse!".

Que linda mensagem de amor! Imagine o que acontecerá em sua vida se você começar a meditar nas promessas de Deus! Que tal, assim como Julie, você pedir a Deus que desvende pessoalmente as promessas dele para sua vida?

– Desembainhe sua espada –

Chegou a hora de empunhar a espada para a cura.

> "Restaurarei sua saúde e curarei suas feridas", diz o SENHOR.
>
> Jeremias 30.17

> Sirvam somente ao SENHOR, seu Deus, e eu os abençoarei com alimento e água e os protegerei de doenças.
>
> Êxodo 23.25

> Apesar disso, foram as nossas enfermidades que ele tomou sobre si,
> e foram as nossas doenças que pesaram sobre ele.
> Pensamos que seu sofrimento era castigo de Deus,
> castigo por sua culpa.
> Mas ele foi ferido por causa de nossa rebeldia
> e esmagado por causa de nossos pecados.
> Sofreu o castigo para que fôssemos restaurados
> e recebeu açoites para que fôssemos curados.
>
> Isaías 53.4-5

– Posicionadas em seus postos de oração –

Querido Senhor,

Eu te louvo porque restauras a saúde e curas feridas. Eu te adoro e te agradeço porque me abençoas com alimento e água e me proteges de doenças. Jesus tomou sobre si minha dor e suportou meu sofrimento. Ele recebeu meu castigo, foi humilhado e afligido. Jesus foi traspassado por pecados e vergonha. É o meu castigo, colocado sobre ele, que me traz paz e cura minhas feridas. Oro pedindo cura por ______. Peço também pelas curas necessárias aos membros de nosso grupo de oração para mover montanhas, bem como a seus amigos e amados. Torna nossas orações por cura tão poderosas quanto um pequenino grão de mostarda.

Em nome de Jesus, amém.

11

Oração por comunidades, igrejas, pastores e nações

Como é feliz a nação cujo Deus é o SENHOR.

SALMOS 33.12

Há vários anos, eu estava a bordo de um Boeing 777 que se aproximava da aterrissagem no aeroporto de Heathrow, em Londres. Estávamos a cerca de quinze metros acima do solo quando, de repente, o piloto virou o nariz do avião da aeronave rumo ao céu e acelerou os motores em potência máxima. Enquanto o aeroporto desaparecia atrás de nós, ficamos nos perguntando: "O que aconteceu?". Após retomar o rumo da pista de pouso, o piloto nos informou: "Desculpe pela manobra radical! Mas acabamos de evitar uma colisão com um avião que havia se desviado para nossa pista". Naquele momento, o piloto tinha acabado de salvar a vida de todos a bordo.

Mas e se o piloto tivesse pensado: "Vou desconsiderar a evasão. A aeronave na pista não é a minha, então não é problema meu". Se nosso piloto tivesse pensado assim, dois aviões cheios de gente teriam se transformado em uma bola do fogo ali em Heathrow. Seus atos salvaram os outros, bem como a si mesmo.

Quando oramos pelo mundo ao nosso redor, também estamos orando por nós mesmos, nossos amigos, amados e até por aqueles que virão depois.

Talvez você esteja pensando: "Mas eu jamais orei por questões mundiais antes. Outras pessoas já oram por isso, então está tudo certo, não é mesmo?".

Reflita sobre as palavras do apóstolo Paulo em 1Timóteo 2.1-2: "Em primeiro lugar, recomendo que sejam feitas petições, orações, intercessões e ações de graça em favor de todos, em favor dos reis e de todos que exercem autoridade, para que tenhamos uma vida pacífica e tranquila, caracterizada por devoção e dignidade".

Karen Whiting compartilhou:

> Anos atrás, eu morava no estado de Michigan, para onde a Guarda Costeira dos Estados Unidos enviou meu marido a fim de que ele fizesse seu mestrado. Eu me contorcia incomodada a cada semana ao ouvir a pregação na igreja e pedi a meu esposo que encontrássemos outro lugar para congregar. Ele respondeu:
>
> — Não temos tempo para ficar pulando de igreja em igreja. Vamos permanecer aqui mesmo.
>
> Então comecei a orar por aquele pastor e a pedir que o Espírito Santo o enchesse. Em nosso último domingo naquela igreja, antes de nos mudarmos para nosso próximo local de trabalho, o pastor me surpreendeu. Abriu a Palavra de Deus como um novo pregador. Ao fim do culto, disse que talvez tivéssemos notado uma mudança em sua pregação. Eu concordei.
>
> Ele explicou que, alguns dias antes, foi como se escamas tivessem caído de seus olhos e ele enxergou a Palavra de Deus pela primeira vez. Isso mudou tanto ele mesmo quanto seu modo de ver as coisas. Lágrimas rolaram dos meus olhos e perguntei a

Deus por que isso havia acontecido naquele momento e por que eu não o ouviria pregar mais. Deus disse de forma tranquila:

— Você terminou suas orações por ele. Eu respondi a sua oração.

Desde então, eu sempre oro por meu pastor e pela equipe da igreja.[1]

Nossas orações por nossas comunidades, igrejas, pastores e nossa nação fazem a diferença. É só perguntar aos homens que seguraram os braços de Moisés no alto perante o Senhor.

Pouco depois que os israelitas atravessaram o mar Vermelho, os amalequitas começaram a atacar as pessoas que estavam no fim do grande grupo de israelitas atravessando o deserto. Moisés chamou Josué de lado e lhe disse: "Escolha homens para saírem e lutarem contra o exército de Amaleque. Amanhã, ficarei no alto da colina, segurando em minha mão a vara de Deus" (Êx 17.9).

Na manhã seguinte, o combate começou. Os israelitas guerrearam contra os amalequitas e prevaleceram contra eles, isto é, contanto que Moisés erguesse os braços ao céu. Mas quando Moisés se cansava e suas mãos escorregavam, os amalequitas prevaleciam contra os israelitas. Os israelitas finalmente conseguiram prevalecer porque Moisés obteve o apoio de Arão e Hur. Os dois homens colocaram uma pedra embaixo para Moisés se assentar e seguraram os braços do líder diante da batalha e do Senhor, que lhes concedeu a vitória.

Nossas orações fazem a diferença

Sim, a oração é capaz de fazer a diferença. Pode fazer a diferença quando oramos por:

- Nossa comunidade.
- Nossas igrejas.
- Nossos pastores.
- Nossa nação.

Ao conversarmos sobre como orar clamando em relação a cada um desses grupos, faremos o mesmo que Arão e Hur por Moisés. Apoiaremos e concordaremos uns com os outros enquanto erguemos os braços em oração.

Nossa comunidade

Uma vez que Deus nos pediu que o amemos de todo o coração e amemos o próximo como a nós mesmos (Mt 22.37-40), faz sentido que ele deseje que estendamos amor ao próximo por meio da oração, mesmo quando o próximo ainda tem arestas ásperas por aparar. O profeta Jeremias fez um excelente argumento a esse respeito quando disse: "Trabalhem pela paz e pela prosperidade da cidade para a qual os deportei. Orem por ela ao SENHOR, pois a prosperidade de vocês depende da prosperidade dela" (Jr 29.7).

John Bornschein, diretor executivo da força-tarefa do Dia Nacional de Oração nos Estados Unidos, escreveu: "O website do Dia Nacional de Oração tem citado diversas histórias de preces respondidas que entraram para as manchetes de todo o país, inclusive o relatório a seguir publicado pela força-tarefa de 2009: 'Nas grandes e pequenas cidades, cristãos estão usando a oração para combater o crime, a falta de moradia, a corrupção e depressões econômicas. Após uma vigília de quarenta dias de oração organizada pelo Departamento de Polícia de Orlando, foi relatada uma diminuição drástica no índice de criminalidade'".[2]

Sigamos o exemplo de João e Jeremias, orando por nossas comunidades.

Querido Senhor,

Oro por todas as comunidades representadas por quem lê este livro. Peço que teu nome seja exaltado em cada uma delas e que os habitantes sejam inundados por teu grande amor e tua imensa salvação. Oro contra o crime, o desemprego, a falta de moradia, os vícios, a pobreza e a injustiça. Peço que protejas as crianças, as famílias, os pastores e as igrejas de cada comunidade. Rogo pela saúde financeira e espiritual de cada comunidade, a fim de que possam prosperar. Que nós, intercessores, sejamos uma luz que nunca venha a se extinguir.

Em nome de Jesus, amém.

Nossas igrejas

Quando oramos por nossas igrejas, estamos orando pelo corpo de Cristo. Romanos 12.5 explica: "Assim é também com o corpo de Cristo. Somos membros diferentes do mesmo corpo, e todos pertencemos uns aos outros".

Às vezes, nós, que pertencemos ao corpo de Cristo, não oramos pela igreja porque alguém nos magoou ou não nos sentimos valorizadas, notadas ou apreciadas. Ou quem sabe não prestemos atenção ao fato de que Deus nos chama para orar. Se você tem deixado de orar, peça a Deus que a perdoe e a ajude a crescer em amor a Cristo, a fim de que ore também pela igreja dele. O escritor e professor Charles E. Lawless disse: "Toda igreja que deseja ser movida pela oração precisa garantir primeiro que está conservando o 'primeiro amor', isto é, que seus membros amam a Deus mais do que nunca".[3]

Haveria uma maneira melhor de amar a igreja do que orando por ela? Minha amiga e escritora Dawn Wilson citou diversas áreas nas quais podemos nos concentrar ao orar pela igreja:

- Unidade da igreja: nossas igrejas precisam de união, conforme Jesus pediu em oração (Jo 17.20-21).
- Anúncio da mensagem da salvação: nossas igrejas são faróis de verdade e esperança, e seus membros são "a luz do mundo" (Mt 5.14).
- Juventude da igreja: os jovens de nossas igrejas são os líderes cristãos de amanhã.
- Pastores, líderes e professores: necessitam do refrigério da Palavra e de apego irredutível à verdade bíblica.
- Mulheres: as mulheres são líderes, membros, mães, esposas, mentoras e professoras valiosas.
- Homens: é necessário que haja homens espirituais no corpo para dirigir, orar e servir.
- Dons espirituais: cada membro da igreja deve fazer uso próspero dos dons espirituais dados por Deus.
- Mordomia: toda igreja tem contas a pagar e necessita de bons mordomos.
- Reavivamento: o reavivamento amplia o amor de Deus tanto dentro quanto fora das paredes da igreja.
- A igreja perseguida: formada por pessoas que servem a Deus em circunstâncias extremas.[4]

Façamos uma pausa e oremos agora mesmo.

Querido Senhor,

Perdoa minha falta de oração pela igreja. Se a igreja de alguma forma já me feriu ou magoou, entrego minhas feridas e mágoas a ti, pedindo que me dês força para perdoar, a fim de que eu encontre a cura e flua em amor sobrenatural por tua igreja. Oro por unidade, pelo anúncio da mensagem de salvação e para que os jovens da igreja cresçam fortes em ti. Peço por nossos pastores, líderes, professores, homens e mulheres, para que caminhem mais perto de ti. Também rogo que cada um de nós se aproxime dos próprios dons espirituais e aprenda a ser um bom mordomo como ato de adoração. Peço que acendas o fogo do reavivamento na igreja e que consoles, fortaleças e protejas a igreja perseguida com justiça e poder, a fim de que tua Palavra prevaleça.

Em nome de Jesus, amém.

Nossos pastores

Nossos pastores necessitam de nossa parceria de intercessão. Quando podem contar com isso, coisas extraordinárias acontecem. John C. Maxwell, no livro *Partners in Prayer* [Parceiros de oração], fala sobre como esse tipo de parceria causa um impacto no mundo. Por exemplo, em 1830, Charles Finney teve um intercessor chamado Abel Clarey, que ia orar antes dos cultos e ficava para orar depois que todos iam embora. Ele jamais subia ao púlpito, mas se dedicava inteiramente à oração. Suas preces abriram caminho para que mil habitantes da cidade de Rochester, Nova York, que contava com dez mil moradores, aceitassem a fé. Em 1934, o chamado de Billy Graham ao ministério foi desencadeado por uma reunião de oração em Charlotte, na Carolina do Norte. Vários empresários, inclusive seu pai, passaram o dia na fazenda da família Graham, clamando a Deus que tocasse sua cidade, seu estado e o mundo inteiro. Naquele ano, Billy aceitou a fé.

Posteriormente, quando se tornou evangelista mundial, ele percebeu que mais pessoas aceitavam o evangelho em seus cultos sempre que mais pessoas oravam pela programação.[5]

Maxwell explica: "Esses episódios demonstram o poder tremendo das parcerias de oração. Não importa se o líder é pastor ou leigo e se aquele que ora é homem, mulher ou criança; quando alguém nos bastidores se alia em oração com um dos servos de Deus na linha de frente, coisas extraordinárias acontecem".[6]

Isso me leva a perguntar: O que aconteceria se pedíssemos a Deus que nos mostrasse por quem devemos interceder? Em muitos casos, as pessoas que Deus nos trará à mente podem incluir nossos pastores. O autor E. M. Bounds disse certa vez: "O pregador precisa orar e também receber oração".[7] Charles E. Lawless explicou a razão: "Satanás sabe que líderes caídos resultam em seguidores desanimados e decepcionados. Infelizmente, temos o costume de só orar pelos líderes da igreja *depois* de ficar sabendo que eles foram pegos em uma situação imoral. A notícia se espalha, e aí começamos a orar. A essa altura, com muita frequência, o inimigo já venceu".[8]

O pastor e aclamado escritor C. Peter Wagner tem uma equipe de intercessores que ora por ele e, mesmo sabendo que está no topo da lista de ataques de Satanás, ele não se preocupa. Explica: "Primeiro, fui um grato recebedor do favor e da graça de Deus. [...] Em segundo lugar, confio aquilo que recebi à influência de meus intercessores pessoais, que abrem as portas do céu a fim de que a graça divina possa fluir continuamente em minha vida e em meu ministério".[9] Certa vez, quando uma de suas intercessoras lhe perguntou como ele estava, Wagner respondeu que estava bem, graças a ela. A intercessora respondeu: "Sei bem o que quer dizer! Você deveria ver as marcas e os roxos espirituais que tenho no corpo inteiro por sua causa!".[10]

Também devemos orar pelos cônjuges de nossos pastores. Dawn Wilson disse: "Orar pela esposa do pastor serve para abençoá-la, mas também é crucial para a igreja. Ore para que Deus dirija as reações dela ao marido e que proteja seu casamento. Peça que ela encontre pessoas amigas e incentivadoras que amem a Deus. Rogue para que faça escolhas sábias de estilo de vida, a fim de imitar Cristo, mas também que proteja sua saúde e faça uso sábio do tempo. Suplique que ela seja paciente e cheia de contentamento, com o coração agradecido e repleto de alegria. Ore para que ela vigie o coração, confesse depressa os pecados e busque um espírito de amor e união à medida que se coloca ao lado do esposo em defesa da verdade".[11]

Vamos orar em conjunto.

Querido Senhor,

Aproximo-me de ti em prol de nossos pastores. Coloca-os em meu coração sempre que estiverem em batalha ou necessitarem de oração. Ensina-me como orar por eles quando me derem essas impressões. Peço, por favor, que os conduzas. Dá-lhes sabedoria e enche-os com tua presença e poder, para que realizem tudo que os chamaste para fazer. Protege seu casamento, cônjuge e filhos. Envia teus anjos para lutar por eles. Envia incentivadores e ajuda-os a tomar decisões sábias. Cuida de sua saúde e bem-estar. Dá-lhes paciência, contentamento e alegria. Guarda-lhes o coração e ajuda-os a confessar rapidamente os próprios pecados. Que busquem um espírito de amor e união, para que se firmem juntos na verdade.

Em nome de Jesus, amém.

Nossa nação

No livro *America: Turning a Nation to God* [América: Direcionando uma nação para Deus], Tony Evans escreveu que acredita que os tumultos, a corrupção, a desigualdade e a angústia que enfrentamos como nação podem ser transformados se nos humilharmos perante o Senhor.[12] É exatamente isso que 2Crônicas 7.14 declara: "Se meu povo, que se chama pelo meu nome, humilhar-se e orar, buscar minha presença e afastar-se de seus maus caminhos, eu os ouvirei dos céus, perdoarei seus pecados e restaurarei sua terra".

Evans também acredita que podemos resolver e reverter as coisas que enfrentamos hoje como nação "se voltarmos para a Palavra de Deus, transformarmos seus princípios e preceitos na base para nossa vida e [...] buscarmos sua face e o Espírito Santo para nós, nossas famílias, igrejas e nossa terra".[13]

Sim! Chegou a hora de dar destaque ao Calvário, à verdade da Palavra e ao poder do Espírito Santo por intermédio da oração, pois, conforme disse Evans, "nada está tão fora de alcance que Deus não possa receber. No entanto, a fim de *direcionar* nossa nação para Deus, nós — seu povo — necessitaremos primeiro fazer o esforço coletivo de *retornar* para ele".[14]

Chegou a hora de nos levantarmos como Florie Evans, que, aos catorze anos de idade, se colocou de pé com coragem diante de sua igreja para dizer: "Eu amo Jesus... de *todo* meu coração". Após suas palavras, o Espírito Santo desceu e assim nasceu o avivamento galês de 1904. Deus usou o amor, a paixão e a sinceridade dessa jovem por Jesus como força para mudar uma nação.

Nós devemos ter o mesmo amor, a mesma paixão e sinceridade em nosso coração, a fim de que o reavivamento se espalhe por nossa terra. Evans explica: "Avivamentos não acontecem espontaneamente. Despertamentos não acontecem sem que as pessoas se deem conta. Em vez disso, primeiro tais movimentos são concebidos no coração das pessoas, e então alimentados com jejum e oração. Em seguida, dão origem à organização e convocação de assembleias solenes coletivas e localizadas, abrindo caminho para uma transformação duradoura. Chegou a hora de haver um nascimento como esse em nossa terra".[15]

Além disso, precisamos saber orar contra o inimigo. No livro *Praying with Power* [Oração com poder], C. Peter Wagner fala sobre a ocasião em que conheceu a escritora Cindy Jacobs e o esposo Mike, na campanha do Dia Nacional de Oração em 1989. Quando ele perguntou ao casal o que eles faziam, Cindy explicou: "Nós oramos por nações do mesmo jeito que os outros oram por indivíduos".

Intrigado, o casal Wagner convidou Cindy e Mike para almoçar com eles. Cindy lhes disse: "Quando um espírito demoníaco impede um indivíduo de ser tudo aquilo que Deus deseja que a pessoa seja, a melhor abordagem é confrontar os demônios, bem como qualquer fortaleza que esteja lhes dando o direito legal de molestar a pessoa. O mesmo princípio se aplica a *grupos de pessoas* em cidades ou nações".[16]

Se você for chamado a orar por sua nação, estará entrando em guerra em diversos níveis. Wagner chamou esses níveis de batalha espiritual de nível aberto, nível oculto e nível estratégico.[17]

Digamos que você se propôs orar por seu pastor e por sua igreja. No nível aberto, você ora para que o pastor e as pessoas sejam pessoalmente protegidos do maligno. No nível oculto, ora contra forças coletivas arremetendo (ou orando) contra o pastor e a igreja, como satanistas, bruxas e outros grupos dessa natureza. No nível estratégico, o mais perigoso, você luta contra principados, conforme Paulo descreve em Efésios 6.12: "Nós não lutamos contra inimigos de carne e sangue, mas contra governantes e autoridades do mundo invisível, contra grandes poderes neste mundo de trevas e contra espíritos malignos nas esferas celestiais".

Ao refletir sobre os ataques que esses governantes e autoridades do mundo invisível realizam contra nossa nação, identifiquei sete estratégias malignas:

- Inventar mentiras, distorcer palavras, dar boas-vindas a espíritos maus e causar confusão.
- Provocar complacência, infidelidade e surtos de surdez, ignorância e cegueira à verdade de Deus.
- Criar os falsos deuses do orgulho, da ambição, da ciência, da política, do dinheiro, do sexo e do ego.
- Instigar corrupção, homicídios, violência, estupros, assédios, tráfico, ódio, ira, raiva, amargura, desunião, divórcios e racismo.
- Desconsiderar Deus, a vida e as outras pessoas.
- Inflar as pessoas com orgulho e manchá-las com o pecado.
- Difundir falta de perdão, medo, doenças mentais, depressão, suicídio, autocomiseração, vícios, pobreza e estresse.

Não recomendo que enfrentemos individualmente essas autoridades espirituais malignas, mas podemos ir contra suas estratégias. É possível reivindicar o poder da concordância ao fazer em conjunto a oração a seguir por nossa nação.

Querido Senhor,

Nós, membros do grupo de oração para mover montanhas, nos unimos e nos aproximamos humildemente de tua presença. Por favor, perdoa nossos pecados e sara nossa terra. Também pedimos que protejas cada uma de nós e nossos amados enquanto oramos contra as estratégias do inimigo.

Em primeiro lugar, oramos contra as maldições e feitiçarias que são lançadas contra nossa nação para que as quebres no poder do nome e do sangue de Jesus.

Achegamo-nos a ti em favor de nossa nação e de nosso povo, pedindo que detenhas as estratégias dos governantes e das autoridades do mal, bem como de seus subordinados, contra nossa nação e nosso povo. Por meio do poder e do sangue de Jesus, pedimos humildemente que detenhas a estratégia do inimigo tanto individual quanto coletiva de inventar mentiras, abrir vidas aos espíritos malignos, distorcer palavras e causar confusão. Substitui esse ataque contra nós por tua verdade e teu amor.

Pedimos que, mediante o poder e o sangue de Jesus, detenhas a estratégia do inimigo tanto individual quanto coletiva de usar a infidelidade, a complacência e os surtos de surdez, ignorância e cegueira à verdade de Deus. Rogamos que substituas essas coisas pela realidade de tua existência, majestade, verdade e amor.

Pedimos que, mediante o poder e o sangue de Jesus, derrubes os falsos deuses do orgulho, da ambição, da ciência, da política, do dinheiro, do sexo e do ego. Suplicamos que substituas esses falsos deuses pela realidade de quem tu és. Ajuda-nos a colocar nossos ídolos na perspectiva certa para adorar somente a ti.

Pedimos que, mediante o poder e o sangue de Jesus, tanto na esfera individual quanto coletiva, impeças o inimigo de instigar corrupção, homicídios, violência, estupros, assédios, tráfico, ódio, ira, raiva, amargura, desunião, divórcios e racismo. Rogamos que o Espírito Santo flua por nossa nação, com amor e união.

Pedimos que, mediante o poder e o sangue de Jesus, detenhas a estratégia do inimigo de desconsideração por ti, pela vida e pelos outros. Clamamos que substituas essa desconsideração por teu amor.

Pedimos que, mediante o poder e o sangue de Jesus, tanto na esfera individual quanto coletiva, impeças o inimigo de inflar as pessoas de orgulho e manchá-las com pecado. Ajuda nossos conterrâneos a enxergar a ti. Além disso, por favor, concede-lhes teu poder para enxergar o próprio pecado e se afastar dele.

Pedimos que, mediante o poder e o sangue de Jesus, derrubes as estratégias do inimigo de falta de perdão, medo, doenças mentais, depressão, suicídio, autocomiseração, vícios, pobreza e estresse. Rogamos que substituas a falta de perdão por perdão, o medo por amor, as doenças mentais e a depressão por uma mente equilibrada, o suicídio pelo amor à vida, a autocomiseração pela gratidão, os vícios pela sobriedade, a pobreza por provisão e o estresse por paz.

Provérbios 11.11 diz: "A cidade prospera pelos benefícios que os justos trazem". Se uma cidade pode prosperar quando o povo de Deus a abençoa, quanto mais uma nação inteira! Por isso, a uma só voz, achegamo-nos a ti como um só, em diferentes lugares e momentos, para elevar nossa nação a ti e te pedir que a abençoes com um grande despertamento.

Pedimos que nossa nação se volte para ti em tua graça salvadora e transborde de amor, paz, alegria, graça, união, espiritualidade e reconciliação. Suplicamos que os casamentos sejam restaurados, as crianças aprendam tua verdade e as vidas brilhem com teu amor. Rogamos que a verdade brilhe nos cargos mais elevados e a corrupção seja revelada e removida. Pedimos que nossa nação seja um lugar seguro para aqueles que te amam, a fim de que possamos viver em paz.

Pedimos tudo isso no poder e na autoridade de Jesus, e em concordância uns com os outros.

Em nome de Jesus, amém.

– Conselho de intercessão –

Falamos anteriormente sobre a importância de orar por pastores e seus respectivos cônjuges, algo que Meredith Kendall, esposa de pastor, endossa de todo o coração. Ela compartilha: "Ao longo dos últimos quinze anos, tenho permanecido naquilo que costuma ser chamado de linha de frente do ministério. Tenho me sentido sozinha, muito embora meu marido e eu atuemos juntos. Luto contra a depressão e, no momento mais sombrio, pensei em jogar o carro em um desfiladeiro profundo. Deus me ajudou a transformar meu desespero em um ministério de oração pelos pastores e suas esposas".[18]

Meredith descobriu o quanto pastores e cônjuges ficam agradecidos quando alguém separa tempo não só para dizer "Estou orando por você", mas também para enviar uma oração por escrito. Ela também nos incentiva a ligar e orar por essas pessoas queridas ao telefone, ou até mesmo a enviar uma mensagem de áudio. Outra opção é escrever um cartão com palavras de ânimo e, quem sabe, acrescentar um vale-presente da loja ou do restaurante preferido da pessoa.

Meredith explica: "Algo pequeno pode fazer uma grande diferença" e nos lembra da importância de celebrar datas como o Dia do Pastor.[19]

– Desembainhe sua espada –

As espadas a seguir nos ajudarão em nossas orações por nossas comunidades, igrejas, pastores e nossa nação.

> Se meu povo, que se chama pelo meu nome, humilhar-se e orar, buscar minha presença e afastar-se de seus maus caminhos, eu os ouvirei dos céus, perdoarei seus pecados e restaurarei sua terra.
>
> 2Crônicas 7.14

> Em primeiro lugar, recomendo que sejam feitas petições, orações, intercessões e ações de graça em favor de todos, em favor dos reis e de todos que exercem autoridade, para que tenhamos uma vida pacífica e tranquila, caracterizada por devoção e dignidade.
>
> 1Timóteo 2.1-2

> Como é feliz a nação cujo Deus é o Senhor.
>
> Salmos 33.12

– Posicionadas em seus postos de oração –

Querido Senhor,

Tu me chamas por teu nome e aqui estou para me humilhar, orar e buscar tua presença. Afasto-me de meus maus caminhos. Por favor, permita-me ouvir de ti, perdoa meus pecados e restaura minha terra. Oro por todas as pessoas e peço que as ajude enquanto clamo por elas. Dou graças por elas e rogo por minha comunidade, igreja, nação e por meu pastor. Por favor, concede-lhes sabedoria, verdade, favor e paz, a fim de que minha família e eu possamos viver em paz, com devoção e dignidade. Feliz é a nação cujo Deus é o Senhor. Declaro que tu és o Deus de minha comunidade, igreja e nação.

Em nome de Jesus, amém.

12
Oração de vitória

> Pois todo aquele que é nascido de Deus vence este mundo, e obtemos essa vitória pela fé.
>
> 1João 5.4

Você entra no ringue para a luta de sua vida. Enquanto aguarda o sinal de início, observa seu adversário imenso, que parece brilhar com força maligna e sobrenatural. Sua mente lhe diz para sair correndo, mas o alarme toca e seu inimigo ataca. De algum modo, você consegue se esquivar. Ele se vira em sua direção, com os braços mirando em sua cabeça. Você se desvia dos socos, mas ele consegue atingi-lo pelas costas.

É então que você sente o poder sobrenatural de Deus. Você parte para cima do inimigo com toda a força. Ele tropeça, mas se recupera e então dá uma cabeçada em sua barriga. Você o empurra para longe, recuperando o espaço que havia perdido. Encarando um ao outro, cerram os punhos. Ambos arremetem. Você avança, se retrai e então avança de novo. A multidão torce, primeiro para ele, depois para você, até que o barulho se torna tão constante que você nem faz ideia de quem está ganhando.

A luta parece infinita, uma vez que vocês permanecem trancados no mesmo ambiente, resistindo e atacando.

O monstro não para e o tempo parece imóvel. Há alguma maneira de vencer?

Isso descreve a batalha de oração que você trava por si, seus amados, sua igreja, comunidade e nação. Por meio da oração, você resiste ao poder e aos desafios do inimigo. Às vezes, você avança em oração. Em outras ocasiões, o inimigo arremete e você pensa: "Esta batalha é grande demais para mim".

Mas você tem uma arma secreta, a mesma que Davi usou quando enfrentou Golias. Davi usou sua arma secreta para vencer o conflito antes mesmo que ele começasse. Sua vitória começou no segundo em que ele disse para o gigante escarnecedor: "Você vem a mim com uma espada, uma lança e um dardo, mas eu vou enfrentá-lo em nome do SENHOR dos Exércitos, o Deus dos exércitos de Israel, que você desafiou" (1Sm 17.45). Em questão de instantes, Golias caiu morto aos pés de Davi.

Conforme Max Lucado destacou: "Ninguém mais fala sobre Deus. Davi não fala sobre nada mais, além de Deus. Um subenredo aparece na história. Mais do que 'Davi *versus* Golias', é um caso de 'foco em Deus *versus* foco no gigante'".[1] Quando mantemos os olhos fixos em Deus, não somos cegados pelo medo do fracasso. Em vez disso, ficamos cegos para a possibilidade de fracasso. Lucado explica: "Davi está focado em Deus. Ele vê o gigante, é claro. Mas enxerga Deus com clareza ainda maior".[2]

Que problema você tem enfrentado? Divórcio? Dificuldades no trabalho? Depressão? Filho viciado em drogas? Câncer? Dores? Dívida que não consegue quitar? Doença? Vício? Problemas no casamento? Amigo ou ente querido em crise? Cada um desses gigantes pode ser derrotado pelo poder de Deus.

Uma de minhas amigas escritoras, Robin Gilbert Luftig, enfrentou um gigante. Ela relata:

> Meu filho quebrou o pescoço em um acidente terrível. Após chegar de ambulância ao hospital, os médicos e enfermeiros trabalharam como uma orquestra muito bem afinada cuidando de meu filho semiconsciente enquanto eu assistia a tudo horrorizada. Depois que ele foi liberado para um quarto, orei em silêncio ao lado de seu leito. Não eram orações melodiosas, nem confortantes, mas, sim, preces angustiadas de uma mãe amedrontada que só conseguia dizer: "Oh, Deus! Oh, Deus! Oh, Deus!".
>
> Minhas palavras chegaram ao céu e, no silêncio, o Senhor respondeu a meu coração. "Abra a Bíblia em Pedro." A passagem dizia: "Portanto, alegrem-se com isso, ainda que agora, por algum tempo, vocês precisem suportar muitas provações. Elas mostrarão que sua fé é autêntica. Como o fogo prova e purifica o ouro, assim sua fé está sendo experimentada, e ela é muito mais preciosa que o simples ouro. Isso resultará em louvor, glória e honra no dia em que Jesus Cristo for revelado" (1Pe 1.6-7). Naquele momento, tive a certeza de que o futuro de meu filho estava garantido por Deus. E, sim, Deus curou o pescoço quebrado de meu menino. Hoje é praticamente como se o acidente jamais tivesse acontecido.[3]

Como Robin aprendeu, quando nos apegamos à Palavra, isso nos ajuda a manter o foco em Deus. A adoração faz o mesmo. Andrew Murray afirmou: "Todas as vezes, antes de interceder, fique primeiro em silêncio e adore a Deus em sua glória. Pense naquilo que ele pode fazer e em como se deleita em ouvir as orações de seu povo redimido. Pense em seu lugar e privilégio em Cristo — e espere coisas grandiosas!".[4]

O próprio Jesus nos ensinou a manter o foco em Deus, honrando-o ao iniciar a oração. Ele instruiu: "Portanto, orem da seguinte forma: Pai nosso que estás no céu, santificado seja o teu nome" (Mt 6.9). Honrar a Deus primeiro era o segredo das orações de Davi. Em Salmos 138.1-5 lemos:

> Graças te dou, SENHOR, de todo o meu coração;
> cantarei louvores a ti diante dos deuses.
> Prostro-me diante do teu santo templo;
> louvo teu nome por teu amor e tua fidelidade,
> pois engrandeceste acima de tudo teu nome e tua palavra.
> Quando eu clamo, tu me respondes;
> coragem e força me dás.
> Os reis de toda a terra te darão graças, SENHOR,
> pois todos eles ouvirão tuas palavras.
> Sim, cantarão a respeito dos caminhos do SENHOR,
> pois a glória do SENHOR é grande.

É assim que conquistamos a vitória. Edificamos nossa fé e confiança em Deus, envolvendo cada pedido em tudo aquilo que Deus é: o Poderoso, Aquele que salva, Aquele que responde, Aquele que é mais forte do que qualquer inimigo ou situação desesperadora.

Oração rumo à vitória

Ao exaltar e honrar a Deus enquanto oramos rumo à vitória, reconhecendo que a vitória pode estar além de nosso entendimento, devemos nos lembrar do seguinte:

- Deus sempre é vitorioso.
- Podemos confiar em Deus apesar das circunstâncias.
- Devemos prosseguir no bom combate.

Deus sempre é vitorioso

Mesmo que não vençamos determinada batalha de oração, nossa perda contribui para uma vitória maior, sobretudo quando colocamos essa perda nas mãos de Deus. Por exemplo, Deborah Hackett me contou:

> Eu vinha orando para que meu esposo se tornasse o líder espiritual de nosso lar. Sua jornada de fé começou momentos depois do ultrassom que revelou que o bebê pelo qual tanto oramos não apresentava batimentos cardíacos.
>
> Ficamos devastados, é claro, e eu pedi ao pastor que nos visitasse para entregar o bebê que perdemos ao Senhor. Foi um momento difícil, mas, alguns dias depois, o pastor convidou meu marido para tomar um café. O pastor Jeff ouviu as dúvidas de Willy a respeito de Deus, então o presenteou com um exemplar do livro *Em defesa de Cristo*, de Lee Strobel. Willy leu e aceitou Jesus como seu Salvador. Hoje Willy está se desenvolvendo como líder espiritual de nossa família, além de dirigir um grupo de oração de homens.[5]

Deus usou o sofrimento de um aborto espontâneo para dar início à transformação de Willy, fazendo dele não só um cristão, mas também um líder espiritual tanto no lar quanto na igreja.

Sheri Schofield também aprendeu que Deus é capaz de transformar aparentes derrotas em vitórias. Após muita oração, Sheri se sentiu chamada a escrever e ilustrar um livro para crianças chamado *The Prince and the Plan* [O príncipe e o plano]. Deveria ser um livro belamente ilustrado para mostrar às crianças como elas poderiam conhecer Jesus pessoalmente. O caminho para a publicação foi pontilhado pelo que pareciam ser orações não atendidas. Primeiro, editora após editora lhe disse: "Não é para nós". Sheri poderia ter concluído que Deus não responderia a suas orações e desistido. Em vez disso, continuou a orar e a buscar a orientação de Deus sobre o que deveria fazer.

Finalmente, ela se sentiu chamada a publicar o livro de maneira independente. Ela e o marido decidiram dar tudo que podiam, sem reservas, para fazer o projeto acontecer. Então você deve imaginar o quanto Sheri ficou arrasada ao descobrir que a gráfica cometeu um erro e acidentalmente imprimiu dois mil exemplares em preto e branco, em vez de produzir livros coloridos.

Ela buscou o Senhor em oração e um pensamento tomou conta de sua mente: "E se não tiver sido um erro? E se Deus tiver a intenção de que esse lote de impressões seja usado para um propósito no qual não pensei ainda?".

Ela ligou para a gráfica e descobriu que poderia comprar os exemplares em preto e branco por uma fração do preço da impressão em cores. Por isso, em vez de instruir o funcionário a jogar no lixo os livros impressos com problema, Sheri decidiu honrar o que acreditava que o Senhor estava fazendo: ordenando que ela usasse os exemplares em preto e branco para apresentar seu plano de esperança e salvação para as crianças de reservas indígenas ali perto, no estado de Montana.

O problema era que ela não tinha recursos suficientes para comprar todos os livros em preto e branco. Por isso, Sheri continuou orando. Suas amigas escritoras compreenderam sua visão e, sem que ela soubesse, fizeram um evento surpresa para angariar recursos e conseguiram um quarto do valor necessário. Logo os amigos da igreja de Sheri, bem como outras igrejas locais, se uniram a fim de conseguir reunir os 4.500 dólares restantes.

No fim das contas, a publicação em preto e branco não foi um erro, pelo menos não um erro que o inimigo pudesse usar para seus próprios fins. A gráfica foi paga e as belas cópias em preto e branco foram doadas para crianças que não teriam ganhado os livros caso os publicadores não tivessem se esquecido de usar tinta colorida. Foi mais um caso em que Deus usou para o bem aquilo que o inimigo fez com a intenção de causar dano.

Deus foi vitorioso e a vitória se torna mais doce à medida que cada criança e família recebe o evangelho de Cristo.

Talvez você também esteja prestes a ter uma vitória disfarçada de derrota. Continue a orar e a buscar, que a vitória divina também chegará para você.

Podemos confiar em Deus apesar das circunstâncias

Confiar em Deus durante a espera pode ser difícil. Ainda assim, minha amiga Delores Liesner estava disposta a confiar em Deus quando ele a chamou para orar por sua abusadora, a própria mãe. Delores conta: "Quando entendi que Deus estava me chamando especificamente para ministrar em favor de minha mãe, separei as segundas-feiras para dedicar à oração com jejum por ela. Foram cinco anos separando as segundas-feiras para minha mãe sem que a vida dela mudasse, até que certo dia, em 2011, ela disse sim para Cristo".[6]

A rainha Ester era uma mulher que esperava em Deus. Quando foi escolhida pelo rei Xerxes para ser sua esposa, não mencionou nada sobre sua fé judaica. No entanto, quando Hamã, ministro do rei, convenceu o monarca a assinar um decreto permitindo o assassinato dos judeus, Ester esperou em Deus e convocou seu povo para orar. Então fez o maior ato de ousadia de sua vida: compareceu à presença do rei sem ser convidada. Caso o rei não tivesse se proposto estender o cetro a Ester, ela teria sido executada instantaneamente.

Mas Ester escolheu abrir mão da segurança da realeza e confrontar o rei, e ainda por cima na frente de Hamã. Explicou sua decisão de intervir em favor de seu povo, concluindo: "Se eu tiver de morrer, morrerei" (Et 4.16).

Mas Deus tinha a vitória. Quando Ester entrou na corte do rei, ele estendeu o cetro. Mais tarde, durante o jantar, ele a escutou enquanto ela argumentava em favor da salvação de seu povo. Em resposta, o rei promulgou um novo decreto, liberando o povo judeu para se defender contra todos os agressores. E Hamã? O rei mandou enforcá-lo na mesma forca que Hamã havia ordenado construir para Mardoqueu, tio de Ester. Deus honrou Ester quando esta esperou e confiou nele, mesmo correndo risco de morte.

A confiança de Ester em Deus incluiu um período de espera nele. É na espera que edificamos nossa fé e aprendemos a confiar no Senhor. Mas os silêncios divinos podem ser ensurdecedores, sobretudo quando ele usa o silêncio para dizer que a resposta é não. Perder uma batalha ferrenha é um preço que os guerreiros de oração às vezes precisam pagar. Mas não é fácil. Conforme já disse, quando Deus me diz não, aprendi a colocar o não dentro da minha pasta chamada "confie em Deus assim mesmo".

É difícil ouvir não, mas essa também é uma oportunidade para sondar meu coração e ver se há algum pecado oculto que precisa ser eliminado. *Será que estou reclamando? Estou abrigando algum pecado no coração? Fiz o contrário daquilo que Deus pediu de mim?*

Devemos prosseguir no bom combate

Não faz muito tempo, eu estava atuando no grupo de oração de minha igreja, lugar onde já presenciei inúmeras respostas a orações. Naquele dia, enquanto orava pelos outros, vi pessoas se reunindo no templo para o funeral de uma pessoa por quem havíamos orado uma semana antes. Que ironia! Como poderíamos orar pelos outros, se ali tão perto um dos indivíduos que havia recebido nossas orações recentemente jazia inerte em um caixão?

Eu não tenho todas as respostas, mas sei que o homem que morreu está agora na presença de Deus. Sei que ele passou desta vida terrena para a vida eterna. Também sei que a Palavra nos recorda: "Ó morte, onde está sua vitória? Ó morte, onde está seu aguilhão? O pecado é o aguilhão da morte que nos fere, e a lei é o que torna o pecado mais forte. Mas graças a Deus, que nos dá vitória sobre o pecado e sobre a morte por meio de nosso Senhor Jesus Cristo!" (1Co 15.55-57).

Naquela manhã, ao observar as pessoas se reunirem para o funeral daquele homem, eu me perguntei se Deus não havia respondido a nossas orações com uma vitória ainda maior do que a que tínhamos pedido uma semana antes. A oração não fora respondida da maneira que nós teríamos escolhido, mas não há dúvida de que aquele homem agora estava curado e pleno.

A Bíblia deixa bastante claro que nosso entendimento ainda não é completo. Paulo explicou essa ideia da seguinte forma: "Agora vemos de modo imperfeito, como um reflexo no espelho, mas então veremos tudo face a face. Tudo que sei agora é parcial e incompleto, mas conhecerei tudo plenamente, assim como Deus já me conhece plenamente" (1Co 13.12).

Embora não compreendamos todos os mistérios de Deus, somos chamados para continuar a confiar nele e combater o bom combate da fé (2Tm 4.7).

Meredith Kendall está travando esse combate. Tem vencido a batalha em busca de cura e paz de espírito. Há alguns anos, ela era uma grande influenciadora e realizadora por Cristo na cidade de Nashville. Ensinava nas prisões e trabalhava com adolescentes em uma clínica administrada pela Faculdade de Medicina Meharry. Chegou a ajudar um jovem pai a se desligar de uma gangue, que, em retaliação, jurou Meredith de morte.

O membro da gangue que recebeu a missão de matá-la ficou à sua espreita por dois dias. Ela conta: “Eu o vi. Até o cumprimentei. Não fazia a ideia de que ele fora designado para me apagar permanentemente”.

Então, certo dia, nas ruas de Nashville, esse bandido atacou Meredith, espancando-a e a deixando como morta. Ela conta: “Ele deveria ter terminado o serviço, mas, antes de conseguir fazê-lo, saiu correndo de repente. Creio que Deus mandou um anjo para espantá-lo”.

Meredith ficou com várias feridas graves e trauma emocional severo. Ela explica: “Por causa do transtorno de estresse pós-traumático, eu não conseguia mais ensinar, nem fazer o trabalho com adolescentes e presidiários”. Meredith achou que seu serviço para Deus havia terminado, até que o Senhor começou a lhe perguntar se ela acreditava naquilo que havia ensinado por tanto tempo. Foi quando ela resolveu avançar. “Dediquei os meses seguintes a orar para superar meus medos e pedir libertação dos pensamentos. Decidi deixar de permitir que o medo definisse minha realidade”, conta.

"Então, no dia 29 de novembro de 2017, dei um passo gigantesco na batalha contra o temor e viajei sozinha de avião para Washington, D.C., a fim de me reunir com as deputadas de nossa região com o objetivo de debater programas para mães carentes."

Mais tarde, naquela noite, enquanto dirigia de volta do aeroporto para casa, ela se deu conta de que não tivera nenhum ataque de pânico, nem crise de ansiedade ao longo do dia inteiro. Relata: "Comecei a louvar a Deus ao perceber que ele havia me curado por completo. Desde então, até me permiti ficar trancada de novo, ou seja, não só voltei a ensinar para os adolescentes, como também retomei o trabalho nas prisões. Consegui reassumir minha atuação no ministério sem o medo que tanto me incapacitou".[7]

Nossa vida e nossa jornada de oração são processos em andamento, à medida que continuamos a tirar os olhos do medo e da dúvida para focar o amor de Deus.

– Conselho de intercessão –

Minha amiga Penny sofria com dores terríveis nas costas, tão terríveis que se submeteu a uma cirurgia, orando o tempo inteiro para encontrar alívio. Quando o procedimento cirúrgico fracassou, ela sentiu a decepção tomar conta dela.

Eu a convidei para ir à igreja orar. Ela hesitou, pensando: "Deus pode muito bem me curar em casa, sem que eu precise dirigir por uma hora". Após meses de insistência minha, Penny cedeu. Ela conta: "Senti que precisava ser obediente a Deus".

Naquele dia, Penny se reuniu com um grupo de intercessores voluntários que se uniram em oração em voz alta por ela.

Penny relata: "De repente, a mulher à minha esquerda parou de orar por mim e me perguntou se eu estava brava comigo mesma. Eu respondi que sim e caí no choro. Mais tarde, contaram que meu choro mais parecia um gemido de dor. Lembro que me senti como se estivesse enrolada em uma embalagem plástica apertada. Então, muito aos poucos, senti alívio, como se água morna estivesse caindo sobre mim. Foi então que eu tive a certeza de que Deus havia me curado e fiquei sem dor por três a quatro dias. A cura emocional aconteceu primeiro e, aos poucos, a cura física tem persistido".

Fico muito empolgada ao observar Penny nesse processo de encontrar liberdade. E essa é minha dica de intercessão. Quando a intercessão não estiver funcionando, precisamos olhar para dentro, para qualquer raiva ou amargura que estivermos guardando contra outros, nós mesmos ou até Deus.

Se você tem um rancor escondido, peça a Deus poder para conseguir abrir mão do sentimento negativo e entregue-o a ele. "É teu, Senhor. Renuncio ao direito de guardá-lo."

– Desembainhe sua espada –

Estou tão feliz porque tivemos esse período para nos unir como grupo de oração. Continuemos a clamar umas pelas outras e por nossos amados, mas primeiro levantemos nossas espadas em vitória porque montanhas estão se movendo!

> Ó SENHOR, a ti pertencem a grandeza, o poder, a glória, a vitória e a majestade. Tudo que há nos céus e na terra é teu, ó SENHOR, e este é teu reino. Tu estás acima de tudo.
>
> 1Crônicas 29.11

O SENHOR, seu Deus, vai com vocês. Ele lutará contra seus inimigos em seu favor e lhes dará vitória.

Deuteronômio 20.4

Pois todo aquele que é nascido de Deus vence este mundo, e obtemos essa vitória pela fé.

1João 5.4

Graças a Deus, que nos dá vitória sobre o pecado e sobre a morte por meio de nosso Senhor Jesus Cristo!

1Coríntios 15.57

– Posicionadas em seus postos de oração –

Querido Senhor,

Em primeiro lugar, quero me focar em ti, pois tu, Senhor, és grande, cheio de poder, glória, majestade e esplendor. Tudo no céu é teu. Teu é o reino e tu és exaltado como Cabeça sobre todas as coisas. Cura meu coração e dá-me forças para depositar todo rancor, raiva e amargura a teus pés. Entrego-te meus pecados ocultos e deles me afasto. Dou graças por lutares comigo contra meus inimigos e me dares vitória, pois tu és meu Pai Celeste. Tu já venceste o mundo. Obrigada, Senhor, porque me concedes a vitória por meio de nosso Senhor Jesus Cristo. Que minhas orações nunca cessem, mas se ergam continuamente até tua presença. Que todas as pessoas neste grupo, seus amigos e amados recebam libertação e cura enquanto descobrem teu amor e teu propósito para a vida deles.

Em nome de Jesus, amém.

Agradecimentos

Sinto-me extremamente abençoada pela editora maravilhosa que é a Revell, da Baker Publishing Group, e também por minhas várias extraordinárias amigas intercessoras que não só oraram por mim enquanto eu escrevia este livro como também responderam a questionários, compartilhando suas ideias e histórias. Muito obrigada!

Eu gostaria de agradecer minhas editoras, Vicki Crumpton, Kristin Kornoelje e Melinda Timmer, bem como toda a equipe da Revell e minha agente, Janet Grant. Muito obrigada, amigas!

E, a vocês que leem, sou muito grata por lerem e também se unirem a um grupo de oração bem peculiar — um grupo formado por pessoas que oraram por você e seus amados enquanto liam este livro. Deus abençoe muito vocês!

Gostaria de agradecer de maneira especial minhas colaboradoras de oração, incluindo:

Penny Carlevato é escritora e palestrante cristã, membro do Advanced Writers and Speakers Bureau e do Titanic Speakers Bureau e coautora de diversas compilações. É colunista regular da premiada revista para mulheres cristãs *Leading Hearts*. Seus livros incluem: *Tea on the Titanic* [Chá no Titanic], *First Class Etiquette* [Etiqueta de primeira classe] e *The Art of Afternoon Tea* [A arte do chá da tarde]. Visite: <PenelopeCarlevato.com>.

LaDell Dudley é natural do Texas, nascida em uma família com três pares de filhos gêmeos. Ela aceitou Jesus ainda criança. É casada com Wayne e tem uma grande família formada por cinco filhos adultos, seus cônjuges e cinco netos. Ela conta: "Tenho o privilégio de servir como ministra licenciada, voluntariando-me nas comunidades e igrejas locais para compartilhar o amor de Deus".

Carol Graham é escritora premiada, colunista, apresentadora, palestrante inspiradora e motivacional, *coach* certificada, esposa, mãe e avó. Sobreviveu a desafios de doenças graves, inclusive câncer, perdas pessoais devastadoras, inclusive a morte de um filho, e dois episódios de falência financeira. Em 2018, recebeu o prêmio global One Woman Fearless. Visite: <www.neverevergiveuphopenet.blogspot.com>.

Deborah Hackett é escritora, radialista e palestrante. Atua com radiojornalismo há mais de vinte anos. Casada com um piloto de testes, Deborah escreve para esposas de militares. Mora com o marido e os filhos nos arredores de Washington, D.C. Tem se divertido muito ao escrever uma série contemporânea de romances inspiradores. Visite: <www.deborahhackett.com>.

Meredith Kendall é uma líder de vendas nacionalmente reconhecida que aprendeu a construir pontes e fazer conexões com o âmago do que as pessoas necessitam. Deus a chamou para a cofundação da organização Advancing the Gospel, que ministra àqueles que muitas vezes são esquecidos. Hoje ela usa seus dons para ajudar as pessoas a entender a origem de suas dificuldades e a encontrar liberdade por meio de Cristo. Visite: <www.the180program.org>.

Delores Liesner ama escrever e falar em público sobre ativar a fé e ser um milagre para os outros. Ela já publicou relatos, colunas, artigos e o devocional *Be the Miracle!* [Seja o milagre!]. Seu ministério pessoal auxilia crianças com doenças graves por meio da fundação Fullness of Life, em Scottsdale, Arizona. Visite: <www.deloresliesner.com>.

Robin Gilbert Luftig compartilha o plano de cura de Deus para nossa vida. Seu primeiro livro, *From Pain to Peace: A Journey of Forgiveness after Divorce* [Da dor à paz: uma jornada de perdão após o divórcio], apresenta lições — tanto positivas quanto negativas — aprendidas após o divórcio. É uma palestrante muito procurada que fala sobre a misericórdia e a graça de Deus. Visite: <www.robinluftig.com>.

Janet Holm McHenry é oradora e autora de 23 livros, inclusive *Prayer Walk* [Caminhada de oração] e *The Complete Guide to the Prayers of Jesus* [Guia completo para as orações de Jesus]. Seu nome comercial é Looking Up! [Olhe para cima], pois ela incentiva as pessoas a olhar para cima em oração. Uma ávida praticante de caminhadas de oração, Janet já deu entrevista para diversas revistas, incluindo *Health* e *Family Circle.* Visite: <www.janetmchenry.com>.

Julie Morris é autora internacionalmente reconhecida de doze livros e uma popular palestrante motivacional. Seu último livro, *Guided By Him... to a Thinner, Not So Stressed-Out You* [Guiada por ele... para sua versão mais magra e menos estressada], é um programa cristão leve e fácil de perda de peso em doze semanas. Ela ensina a Bíblia há quarenta anos e trabalha como conselheira leiga. Visite: <www.guidedbyhim.com>.

Tina Samples é palestrante e autora premiada. Seus livros incluem *Homens em desordem da Bíblia: Vendo o homem de sua vida pelos olhos de Deus*, escrito em coautoria com Dave Samples. Esse livro entrou para o *ranking* dos cinco melhores estudos da Bíblia em publicações cristãs. *Wounded Women of the Bible: Finding Hope When Life Hurts* [Mulheres feridas da Bíblia: Como encontrar esperança quando a vida machuca], escrito em coautoria com Dena Dyer, recebeu o prêmio de livro de não ficção do ano no Golden Scroll Award de 2014. Ela já contribuiu com diversos livros e foi entrevistada pelas revistas *Glamour* e *Atlantic Monthly*. Visite: <www.tinasamples.com>.

Joy Schneider é intercessora desde que aceitou Cristo há mais de 35 anos. Seu desejo é ver o corpo de Cristo orando com eficácia a fim de resistir com toda força na batalha espiritual. Joy escreveu dois livros sobre prevalecer em oração. Visite: <www.wateroflifeunlimited.com>.

Sheri Schofield é escritora e professora do ministério infantil. Aos quatro anos de idade, orou pedindo a Jesus que morasse em seu coração. Aos oito, quase toda sua família morreu em um acidente de carro e Jesus a atraiu para ainda mais perto. Desde então, ela tem o dom espiritual de ver coisas que Deus fará no futuro. Visite: <www.sherischofield.com>.

Carole Whang Schutter é roteirista, produtora e escritora, cuja paixão por histórias a tem feito transitar por diferentes gêneros. Nasceu no Havaí e passou a metade da vida no Colorado. Visite: <www.cwschutter.com>.

Karen Whiting é oradora internacional, ex-apresentadora de televisão e autora de 25 livros. Sua última obra, *The Gift of Bread* [O dom do pão], apresenta histórias, receitas e ideias sobre o pão na Bíblia que tocam o coração. Visite: <www.karenwhiting.com>.

Debbie Taylor Williams é uma concorrida professora bíblica, palestrante e fundadora do evento P.R.A.Y with Passion

Across the Nation Conference, que ela está levando a todos os estados dos Estados Unidos. É autora de *Prayers of my heart* [Orações de meu coração], *Pray with Purpose, Live with Passion* [Ore com propósito, viva com paixão], dentre outras obras. Visite: <debbietaylorwilliams.com>.

Dawn Wilson é fundadora da Heart Choices Today, escritora, criadora do programa UPGRADE with Dawn, pesquisadora contratada e colunista da Revive Our Hearts, além de colaboradora nas revistas *Crosswalk* e *True Woman.* Ela e o esposo Bob moram no sul da Califórnia, onde estão à frente do ministério Pacesetter Global Outreach. Visite: <www.upgradewithdawn.com>.

Brenda L. Yoder é terapeuta licenciada de saúde mental, escritora, palestrante, mãe e *coach.* Tem paixão por falar e escrever sobre vida, fé e família além das aparências. Seu mais novo livro é *Fledge: Launching Your Kids without Losing Your Mind* [Hora de voar: como apoiar seus filhos sem enlouquecer]. Visite: <www.brendayoder.com>.

Também registro gratidão especial a Nancy Martin, Rebekah Montgomery, Terri e Dave Robinson, minhas colaboradoras silenciosas. Todas vocês desempenharam um papel importante e sou agradecida.

Junte-se a nós em oração não só para que este livro faça a diferença, mas também para que cada pessoa que ler seja abençoada e prossiga em seu chamado de oração mais intensamente do que antes.

Notas

1. Os segredos da oração intercessora

[1]Vocabulary.com, verbete “Intercede”, <https://www.vocabulary.com/dictionary/intercede>, acesso em 15 de fevereiro de 2017.

[2]Max Lucado, *For the Tough Times* (Nashville: Thomas Nelson, 2006), p. 69-70.

[3]Linda Evans Shepherd, *Called to Pray* (Grand Rapids: Revell, 2015), p. 169-170.

[4]Relato com base em entrevista por escrito realizada em 10 de março de 2018. Usado com permissão.

[5]Relato com base em fonte anônima, 11 de março de 2018. Usado com permissão.

[6]Citação de Corrie ten Boom em Mark Batterson, Richard Forth e Susanna Forth Aughtmon, *Trip Around the Sun* (Grand Rapids: Baker Books, 2015), p. 124.

[7]Batterson, Forth e Aughtmon, *Trip Around the Sun.*

[8]Dutch Sheets, *Intercessory Prayer* (Bloomington, MN: Regal Books, 1996), p. 39, itálico no original.

[9]Relato com base em entrevista por escrito realizada em 10 de março de 2017. Usado com permissão.

[10]Billy Graham, “The Work of the Holy Spirit”, Billy Graham Evangelistic Association, 10 de fevereiro de 2011, <https://billygraham.org/story/the-work-of-the-holy-spirit/>.

2. O dom e os elementos fundamentais da oração

[1]Relato com base em entrevista por escrito realizada em 27 de fevereiro de 2017. Usado com permissão.

[2]Elizabeth Alves, Barbara Femrite e Karen Kaufman, *Intercessors: Discover Your Prayer Power* (Ventura, CA: Regal, 2000), p. 16.
[3]Relato com base em entrevista por escrito realizada em 16 de fevereiro de 2018. Usado com permissão.
[4]Relato com base em entrevista por escrito realizada em 12 de fevereiro de 2018. Usado com permissão.
[5]Paul E. Miller, *A Praying Life: Connecting with God in a Distracting World* (Colorado Springs: NavPress, 2017), p. 118.
[6]C. S. Lewis, *Cartas de um diabo a seu aprendiz* (Rio de Janeiro: Thomas Nelson Brasil, 2017), p. 34.
[7]Idem.
[8]Relato com base em entrevista por escrito realizada em 13 de fevereiro de 2018. Usado com permissão.
[9]Andrew Murray, *The Power of the Blood of the Cross* (Fort Washington, PA: CLC Publications, 2013), p. 64.
[10]Linda Evans Shepherd, *Praying God's Promises: The Life-Changing Power of Praying the Scriptures* (Grand Rapids: Revell, 2018), p. 16.
[11]Relato com base em entrevista por escrito realizada em 16 de fevereiro de 2018. Usado com permissão.
[12]Idem.
[13]Idem.

3. A oração como nossa arma secreta

[1]Linda Evans Shepherd, *Called to Pray* (Grand Rapids: Revell, 2015), p. 21-24.
[2]Paul E. Miller, *A Praying Life: Connecting with God in a Distracting World* (Colorado Springs: NavPress, 2017), p. 263.
[3]Mark Batterson, *All In: You Are One Decision Away from a Totally Different Life* (Grand Rapids: Zondervan, 2013), p. 87.
[4]Relato com base em entrevista por escrito realizada em 11 de março de 2018. Usado com permissão.
[5]J. C. Ryle, "An Appreciation", *Walking with Giants*, 16 de fevereiro de 2018, <http://www.walkingwithgiants.net/people/j-c-ryle/j-c-ryle-an-appreciation/>.
[6]Relato com base em entrevista por escrito realizada em 11 de março de 2018. Usado com permissão.

[7]"Warfare Songs of Victory", YouTube, acesso em 17 de outubro de 2018, <http://bit.ly/warfaresongs>.

[8]"Linda Evans Shepherd Playlist", YouTube, acesso em 17 de outubro de 2018, <http://bit.ly/LindaPlaylist>.

[9]Andrew Murray, *When Prayer Makes Sense* (Uhrichsville, OH: Barbour Publishing, 2014), p. 35-36.

[10]Debbie Przybylski, "The Power of Praying God's Word", Crosswalk.com, 30 de março de 2015, <https://www.crosswalk.com/faith/prayer/the-power-of-praying-god-s-word.html>.

[11]Relato com base em entrevista por escrito realizada em 11 de março de 2018. Usado com permissão.

[12]Carole Burns, "Interview: Anne Lamott on 'Help, Thanks, Wow'", *Washington Post*, 21 de novembro de 2012, <http://bit.ly/AnneLamottPrayer>.

[13]Relato com base em entrevista por escrito realizada em 11 de março de 2018. Usado com permissão.

[14]Idem.

[15]Idem.

[16]Idem.

[17]Idem.

[18]Usado com permissão.

4. Oração por ruptura

[1]"Isaiah 43:19", *Matthew Henry's Concise Commentary*, último acesso em 17 de outubro de 2018, <https://biblehub.com/commentaries/mhc/isaiah/43.htm>.

[2]Paul E. Miller, *A Praying Life: Connecting with God in a Distracting World* (Colorado Springs: NavPress, 2017), p. 60.

[3]Relato com base em entrevista por escrito realizada em 11 de março de 2018. Usado com permissão.

[4]Max Lucado, *In the Eye of the Storm* (Nashville: Thomas Nelson, 1991), p. 145.

[5]Charles Stanley, *Pathways to His Presence: A Daily Devotional* (Nashville: Thomas Nelson, 2006), p. 8.

[6]Idem.

[7]Idem.

[8]Jill Y. Crainshaw, *When I in Awesome Wonder: Liturgy Distilled from Daily Life* (Collegeville, MN: Liturgical Press, 1962), p. 137.
[9]Lucado, *In the Eye of the Storm*, p. 145.
[10]Charles F. Stanley, *Charles Stanley Life Principles Bible* (Nashville: Thomas Nelson, 2009), p. 567.
[11]Idem.
[12]Mark Batterson, *Draw the Circle: The 40 Day Prayer Challenge* (Grand Rapids: Zondervan, 2012), p. 150-151.

5. Oração para quebrar fortalezas

[1]Ilustração com base em relatos de vários proprietários de casas anônimos.
[2]Max Lucado, *Facing Your Giants: God Still Does the Impossible* (Nashville: Thomas Nelson, 2006), p. 99. [No Brasil, *Enfrente seus gigantes: Uma história de David e Golias para pessoas cotidianas*. Rio de Janeiro: Thomas Nelson Brasil, 2006.]
[3]Billy Graham, *The Reason for My Hope: Salvation* (Nashville: Thomas Nelson, 2013), p. 64.
[4]Idem.
[5]Idem.
[6]Relato com base em fonte anônima, 15 de maio de 2018. Usado com permissão.
[7]Relato com base em fonte anônima, 1º de abril de 2018. Usado com permissão.
[8]História de Rosemary Trible, parafraseada da entrevista de Linda Evans Shepherd a Rosemary Trible em *Denver Celebration*, The Daystar Television Network, no ar em outubro de 2010. A entrevista está disponível em vídeo em <https://youtu.be/TMz2a9KDnds>.
[9]Rosemary Trible, *Fear to Freedom: From Victim to Victory* (Eugene, OR: VMI Publishers, 2010), p. 103.

6. Oração para vencer batalhas

[1]Relato com base em história compartilhada por Nancy Martin em 31 de março de 2018. Usado com permissão.
[2]A. W. Tozer, *Tower of God and Men* (Chicago: Moody, 1988), p. 60.

[3]George Müller, *The Autobiography of George Müller* (New Kensington, PA: Whittaker House, 1984), p. 91.

[4]Relato com base em entrevista por escrito realizada em 27 de fevereiro de 2018. Usado com permissão.

[5]Relato com base em entrevista realizada em 11 de março de 2018. Usado com permissão.

7. Oração pela família

[1]Relato com base em entrevista por telefone realizada em 25 de fevereiro de 2018. Usado com permissão.

[2]Com base em histórias reais de vítimas de picadas de cobras.

[3]Gary Smalley e John Trent, *The Blessing* (Nova York: Simon & Schuster, 1986), p. 26-27. Itálicos no original.

[4]"What Is a Hedge of Protection?", GotQuestions.org, último acesso em 18 de outubro de 2018, <https://www.gotquestions.org/hedge-of-protection.html>.

[5]Linda Evans Shepherd, *Praying God's* Promises (Grand Rapids: Revell, 2018), p. 142.

[6]Wayne Martindale e Jerry Roots, eds., *The Quotable Lewis* (Wheaton: Tyndale, 1990), p. 221.

[7]Corrie ten Boom e Jamie Buckingham, *Tramp for the Lord* (Fort Washington, PA: CLC Publications, 1974), p. 57.

[8]Relato com base em entrevista anônima, 11 de março de 2018. Usado com permissão.

[9]Relato com base em entrevista, 11 de março de 2018. Usado com permissão.

8. Oração por outros

[1] T. D. Jakes, *Mama Made the Difference: Life Lessons My Mother Taught Me* (Nova York: G. P. Putman's Sons, 2007), p. 72.

[2]Linda Evans Shepherd, *Called to Pray* (Grand Rapids: Revell, 2015), p. 28.

[3]Relato com base em entrevista por escrito realizada em 11 de março de 2018. Usado com permissão.

[4]"31 Prayer Quotes — Be Inspired and Encouraged!", Crosswalk.com, 20 de outubro de 2016, <https://www.crosswalk.com/faith/spiritual-life/inspiring-quotes/31-prayer-quotes-be-inspired-and-encouraged.html>.

[5]Relato com base em entrevista por escrito realizada em 16 de fevereiro de 2018. Usado com permissão.

[6]Relato com base em entrevista por escrito realizada em 2 de fevereiro de 2018. Usado com permissão.

[7]Stormie Omartian, *Let God's Word Empower Your Prayers: A Devotional* (Eugene, OR: Harvest House, 2008), p. 9.

[8]Relato com base em entrevista por escrito realizada em 20 de fevereiro de 2018. Usado com permissão.

[9]Relato com base em entrevista, 11 de março de 2018. Usado com permissão.

[10]Idem.

[11]Billy Graham, "Answers", Billy Graham Evangelistic Association, 1º de junho de 2004, <https://billygraham.org/answer/does-the-bible-say-we-should-pray-to-angels-for-help-and-direction/>.

[12]Idem.

[13]Relato com base em entrevista, 11 de março de 2018. Usado com permissão.

9. Oração por provisão

[1]Dwight L. Moody, citado em *Every Day with Jesus* (Brentwood, TN: Worthy, 2011), 24 de maio.

[2]Relato com base em entrevista, 15 de maio de 2018. Usado com permissão.

[3]James A. Nestingen, *Martin Luther: A Life* (Minneapolis: Augsburg, 2003), p. 67.

[4]Relato com base em entrevista, 26 de fereveiro de 2018. Usado com permissão.

[5]Mark Batterson, *The Circle Maker: Praying Circles around Your Biggest Dreams and Greatest Fears* (Grand Rapids, MI: Zondervan, 2016), p. 16.

[6]Idem, p. 63.

[7]Carol Graham, *Battered Hope* (Apopka, FL: New Book Publishing, 2013), p. 55-56.

[8]Max Lucado, *Every Day Deserves a Chance* (Nashville: Thomas Nelson, 2007), p. 75.

[9]Charles Stanley, "Life Principle 11: His Promise to Provide", In Touch Ministries, 11 de julho de 2014, <https://www.intouch.org/watch/sermons/life-principle-11-his-promise-to-provide>.

[10]Elizabeth Alves, Barbara Femrite e Karen Kaufman, *Intercessors: Discover Your Prayer Power* (Ventura, CA: Regal, 2000), p. 104-105.

[11]Relato com base em entrevista por escrito realizada em 13 de fevereiro de 2018. Usado com permissão.

[12]Idem.

[13]Idem.

10. Oração por cura

[1]"Preventable Causes of Death", Wikipedia, última atualização em 21 de setembro de 2018, <https://en.wikipedia.org/wiki/Preventable_causes_of_death>.

[2]Relato com base em entrevista por escrito realizada em 15 de fevereiro de 2018. Usado com permissão.

[3]Usado com permissão.

[4]Laura Story, *When God Doesn't Fix It: Lessons You Never Wanted to Learn, Truths You Can't Live Without* (Nashville: W Publishing Group, 2015), p. 13.

[5]Usado com permissão.

[6]*Strong's Concordance* (Nashville: Thomas Nelson, 2010), G5613.

[7]Watchman Nee, *Let Us Pray* (Nova York: Christian Fellowship Publishers, 2017), p. 31.

[8]Alexis Carrel, *Reader's Digest* 38, 1941, p. 34.

[9]Stormie Omartian, *Seven Prayers That Will Change Your Life Forever* (Nashville: Thomas Nelson, 2010), p. 87-88.

[10]Warren W. Wiersbe, *The Wiersbe Bible Commentary: Old Testament* (Colorado Springs: David C. Cook, 2017), p. 405.

[11]Idem, p. 405.

[12]Mark Batterson, *The Circle Maker: Praying Circles around Your Biggest Dreams and Greatest Fears* (Grand Rapids: Zondervan, 2016), p. 25.

11. Oração por comunidades, igrejas, pastores e nações

[1] Relato com base em história enviada por Karen Whiting. Usado com permissão.

[2] John Bornschein, *A Prayer Warrior's Guide to Spiritual Battle: The Front Line* (Bellingham, WA: Kirkdale Press, 2016), p. 8.

[3] Charles E. Lawless, *Serving in Your Church Prayer Ministry* (Grand Rapids: Zondervan, 2003), p. 16-17.

[4] Itens com base em lista enviada por Dawn Wilson. Usados com permissão.

[5] John C. Maxwell, *Partners in Prayer* (Nashville: Thomas Nelson, 1996), p. 5-6.

[6] Idem, p. 6.

[7] E. M. Bounds, *Power Through Prayer* (CreateSpace Independent Publishing Platform, November 15, 2017), p. 16.

[8] Lawless, *Serving in Your Church Prayer Ministry*, p. 52.

[9] C. Peter Wagner, *Prayer Shield* (Grand Rapids: Baker, 1992), p. 8.

[10] Idem, p. 8.

[11] Relato com base em entrevista por escrito realizada em 13 de junho de 2018. Usado com permissão.

[12] Tony Evans, *America: Turning a Nation to God* (Chicago: Moody, 2015), p. 16.

[13] Idem, p. 16.

[14] Idem, p. 16.

[15] Idem, p. 16.

[16] C. Peter Wagner, *Praying with Power* (Shippensburg, PA: Destiny Image Publishers, 1997), p. 70-71.

[17] Idem, p. 72.

[18] Relato com base em material enviado por escrito. Usado com permissão.

[19] Idem.

12. Oração de vitória

[1] Max Lucado, *Facing Your Giants: God Still Does the Impossible* (Nashville: Thomas Nelson, 2006), p. 5.

[2] Idem, p. 5.

[3] Relato com base em material enviado por escrito. Usado com permissão.

[4] Andrew Murray, *Why Prayers Make Sense* (Uhrichsville, OH: Barbour Publishing, 2014), p. 35-36.
[5] Relato com base em material enviado por escrito em 3 de junho de 2018. Usado com permissão.
[6] Relato com base em material enviado por escrito em 5 de junho de 2018. Usado com permissão.
[7] Relato com base em material enviado por escrito em 8 de junho de 2018. Usado com permissão.

Sobre a autora

Linda Evans Shepherd é autora premiada e oradora internacionalmente reconhecida. É presidente do ministério Right to the Heart e CEO da Advanced Writers and Speakers Association (AWSA), que ministra a autoras e palestrantes cristãs. É responsável pela publicação da revista *Leading Hearts* e do devocional diário on-line *Arise Daily*, escrito pelas mulheres que fazem parte da AWSA. É casada com Paul há mais de trinta anos e mãe de dois filhos, sendo que um deles mora em Austin e a outra, no céu.

Compartilhe suas impressões de leitura,
mencionando o título da obra, pelo e-mail
opiniao-do-leitor@mundocristao.com.br
ou por nossas redes sociais

Esta obra foi composta com tipografia Adobe Caslon Pro
e impresso em papel Pólen Natural 70 g/m² na gráfica Assahi